こども哲学

人生って、なに？

レイラへ。
人生が、その不条理《ふじょうり》をのりこえて、
意味《いみ》あるものとなるように。

小学校で哲学をやってみたいというわたしたちの夢を実現してくれたナンテール市に、
こんないきあたりばったりの冒険にいっしょに乗りだしてくれた先生たちに、
そして、いっしょうけんめい知恵をしぼって、ことばに生命をふきこんでくれたナンテールのこどもたちに、
この場をかりてお礼を言います。

みなさん、どうもありがとう。

そして、かけがえのない協力者であるイザベル・ミロンにも、心からの感謝を。

Oscar Brenifier : “La vie, c’est quoi?”
Illustrated by Jérôme Ruillier

This book is published in Japan by arrangement with NATHAN/SEJER,
through le Bureau des Copyrights Français, Tokyo.

こども哲学

人生って、なに？

文：オスカー・ブルニフィエ
絵：ジェローム・リュイエ
訳：西宮かおり

日本版監修：重松清

朝日出版社

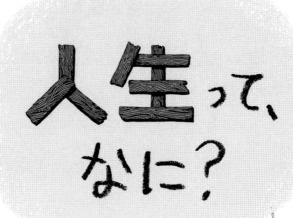

何か質問はありますか?
なぜ質問をするのでしょう?

こどもたちのあたまのなかは、いつも疑問でいっぱいです。
何をみても何をきいても、つぎつぎ疑問がわいてきます。とてもだいじな疑問もあります。
そんな疑問をなげかけられたとき、わたしたちはどうすればいいのでしょう?
親として、それに答えるべきでしょうか?
でもなぜ、わたしたちおとなが、こどもにかわって答えをだすのでしょう?

おとなの答えなどいらない、というわけではありません。
こどもが答えをさがす道のりで、おとなの意見が道しるべとなることもあるでしょう。
けれど、自分のあたまで考えることも必要です。
答えを追いかけ、自分の力であらたな道をひらいてゆくうちに、
こどもたちは、自分のことを自分で決める判断力と責任感とを身につけてゆくのです。

この本では、ひとつの問いに、いくつもの答えがだされます。
わかりきったことのように思われる答えもあれば、はてなとあたまをひねるふしぎな答え、
あっと驚く意外な答えや、途方にくれてしまうような答えもあるでしょう。
そうした答えのひとつひとつが、さらなる問いをひきだしてゆくことになります。
なぜって、考えるということは、どこまでも限りなくつづく道なのですから。

このあらたな問いには、答えがでないかもしれません。
それでいいのです。答えというのは、無理してひねりだすものではないのです。
答えなどなくても、わたしたちの心をとらえてはなさない、そんな問いもあるのです。
考えぬくに値する問題がみえてくる、そんなすてきな問いが。
ですから、人生や、愛や、美しさや、善悪といった本質的なことがらは、
いつまでも、問いのままでありつづけることでしょう。

けれど、それを考える手がかりは、わたしたちの目の前に浮かびあがってくるはずです。
その道すじに目をこらし、きちんと心にとめておきましょう。
それは、わたしたちがぼんやりしないように背中をつついてくれる、
かけがえのないともだちなのです。
そして、この本で交わされる対話のつづきを、こんどは自分たちでつくってゆきましょう。
それはきっと、こどもたちだけでなく、われわれおとなたちにも、
たいせつな何かをもたらしてくれるにちがいありません。

オスカー・ブルニフィエ

もくじ

特別付録　重松清の書き下ろし掌篇「おまけの話」が本の最後についています。

しあわせ
っておもうのは、
どんなとき？

いい点
とったとき。

そうだね、でも…

わるい点とったら、
お先まっくら？

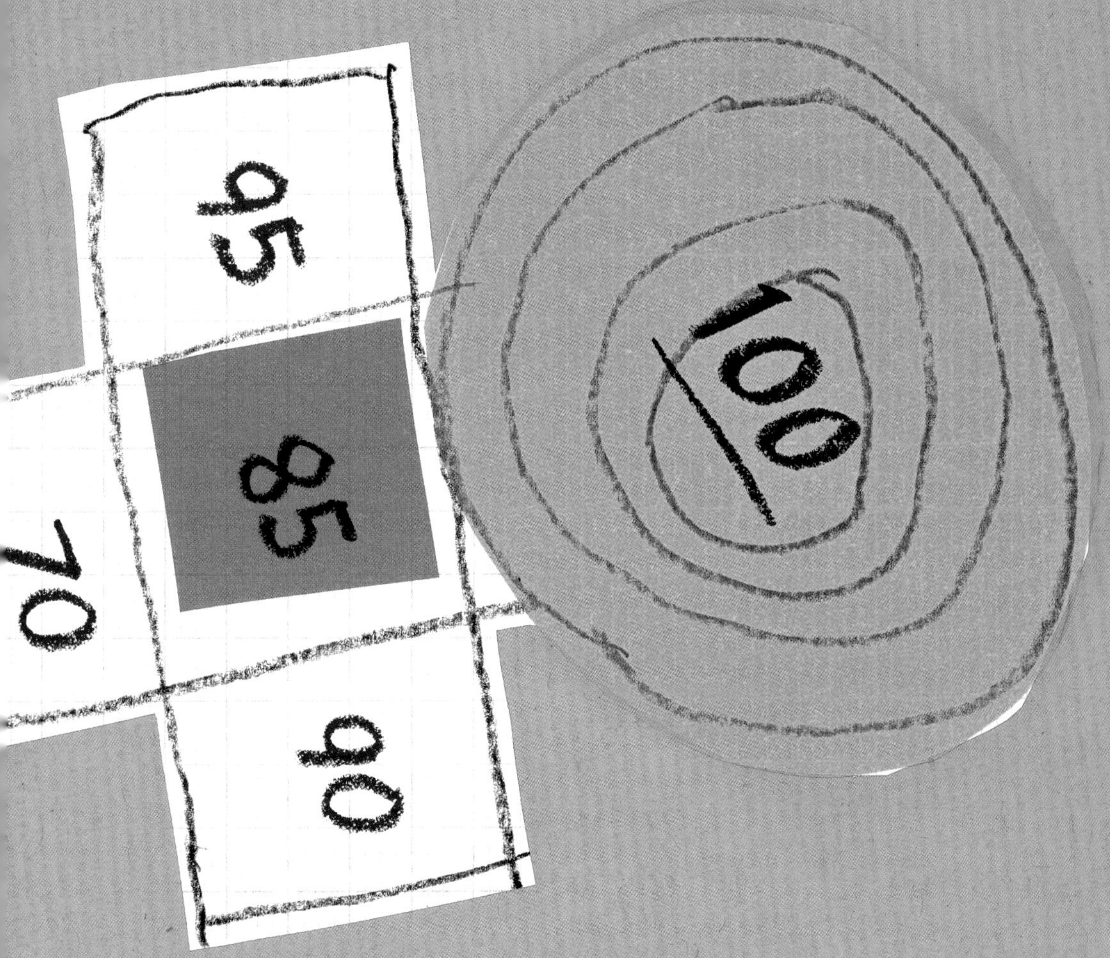

いい点とるのは、だれのため？
自分？　それとも、親《おや》のため？

ちんぷんかんぷんでも、
いい点なら、それでいい？

すきなこと
してるとき。

好《す》きだからって、
おかしばっかり食べてたい？

自分がうれしいのと、みんながうれしいの、
どっちがたいせつ？

つらいことでも、がんばりぬいて
ゴールできたらうれしくない？

おおきく
なって、
おかねもちに
なれたら、
しあわせ。

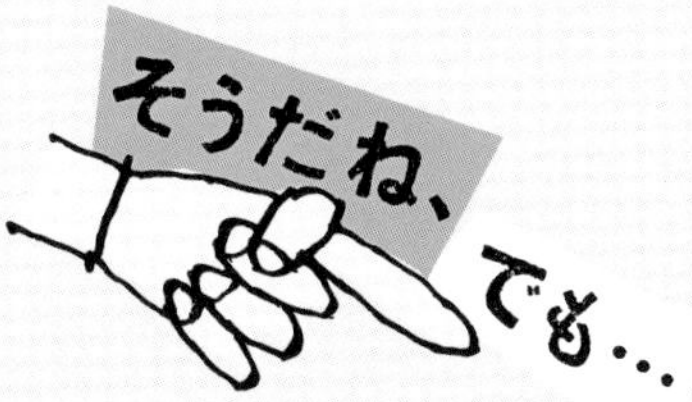

こどもで、おかねもなかったら、
しあわせになれないの？

もし、おとなになって、
おかねもちになれても…

ひとりぼっちだったら？

どうして、いまのきみじゃだめなの？

ともだち
いっぱい
できたとき。

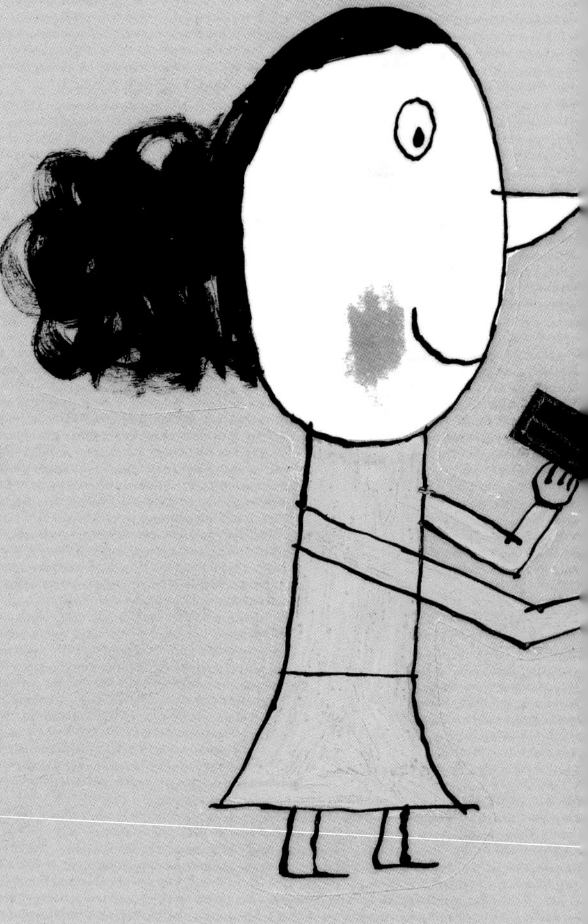

ともだちって、
たくさんいればいいのかな？

ともだちがいっぱいいても、
けんかしちゃったら、かなしくない？

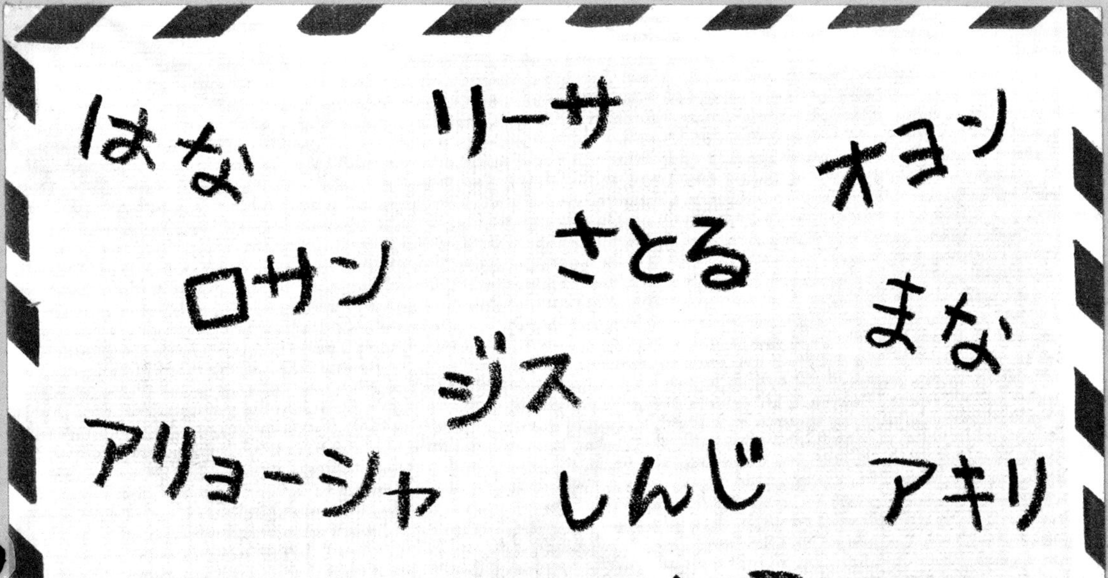

ともだちがおちこんでたら、
きみもつられて、おちこんじゃわない？

ともだちが他のともだちと
なかよくしてたら、
ちぇっ！ って、思わない？

みんなにさんせい
なんてできる？
みんな、考えはちがうのに。

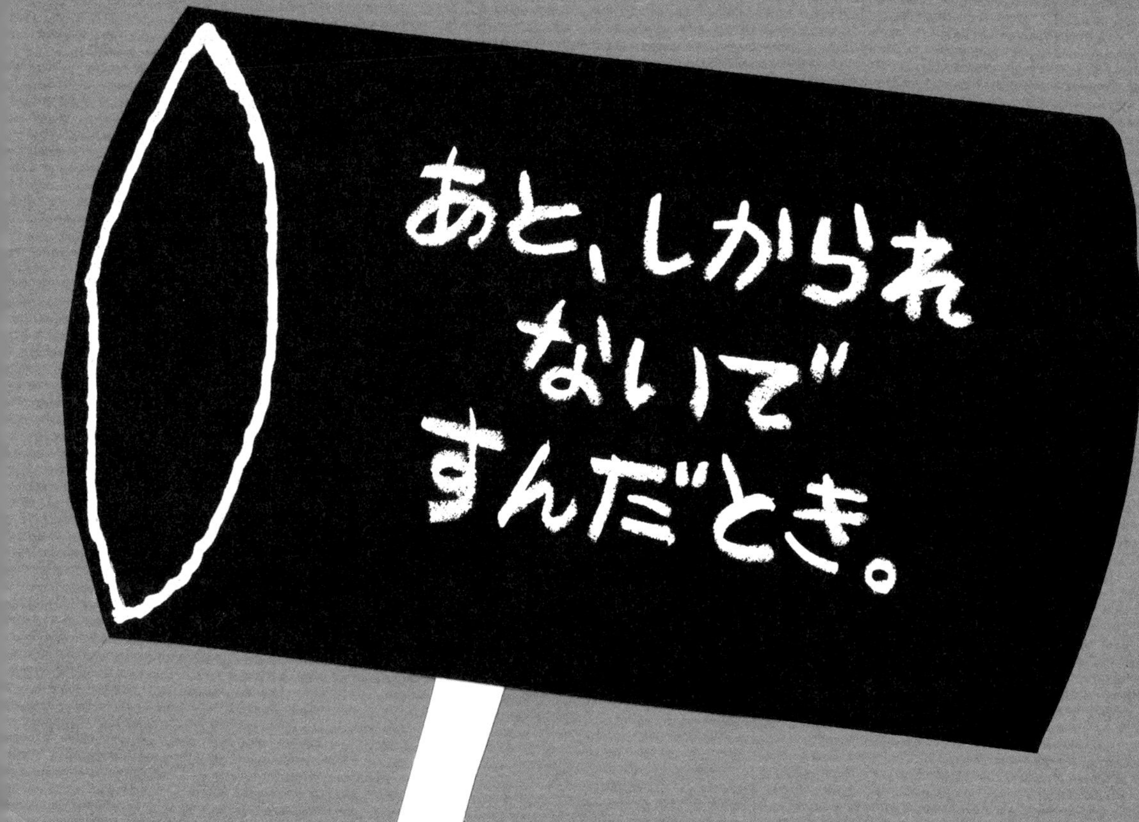

おとうとが
いじめられてても、
なんにもしないの？

わるいことしても、
しかられないほうがいい？

したいこと なーんでも

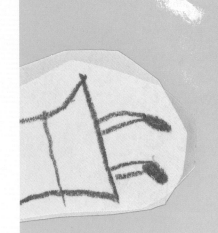

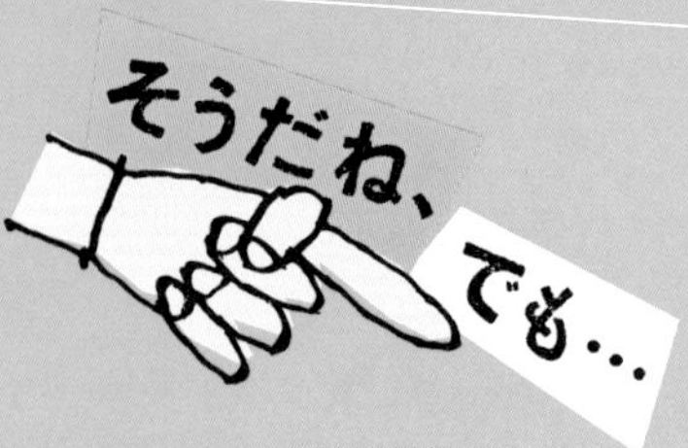

みんなも、したいことしていいの？
きみのじゃまになるかもよ？

自分が何をしたいのか、
いつでも、ほんとにわかってる？

できるとき。

したいことぜんぶ、
しつくしちゃったそのあとは？

世界《せかい》じゅうのだれもがみんな、
しあわせになりたい、って思ってる。

しあわせは、なによりたいせつなもの、みんながめざすもの。
有名《ゆうめい》になれば、夢《ゆめ》がかなえば、しあわせになれるはず、って思ってるひともいれば、
友情《ゆうじょう》や平和《へいわ》や自由《じゆう》が、しあわせをもたらしてくれるんだ、って信じてるひともいる。

だけど、しあわせって、さがせばみつけられるようなものなんだろうか？
これだ！ って指《ゆび》させるような、ひとつしかないものなんだろうか？
この世《よ》に生きてるぼくらの数だけ、しあわせって、あるんじゃないのかな？

この問いについて考えることは、つまり…

…きみのしあわせってなんなのか、
それをきちんとみきわめて、
ぼくはぼく、って思えるようになること。

…しあわせは、
きみのその手でつかむもの、
運《うん》まかせにしてちゃだめなんだ
って、あたまに入れておくこと。

…せのびなんかしなくても、
しあわせは、
手のとどくところにあるんだ
って、自分におしえてあげること。

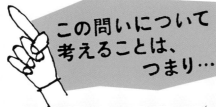

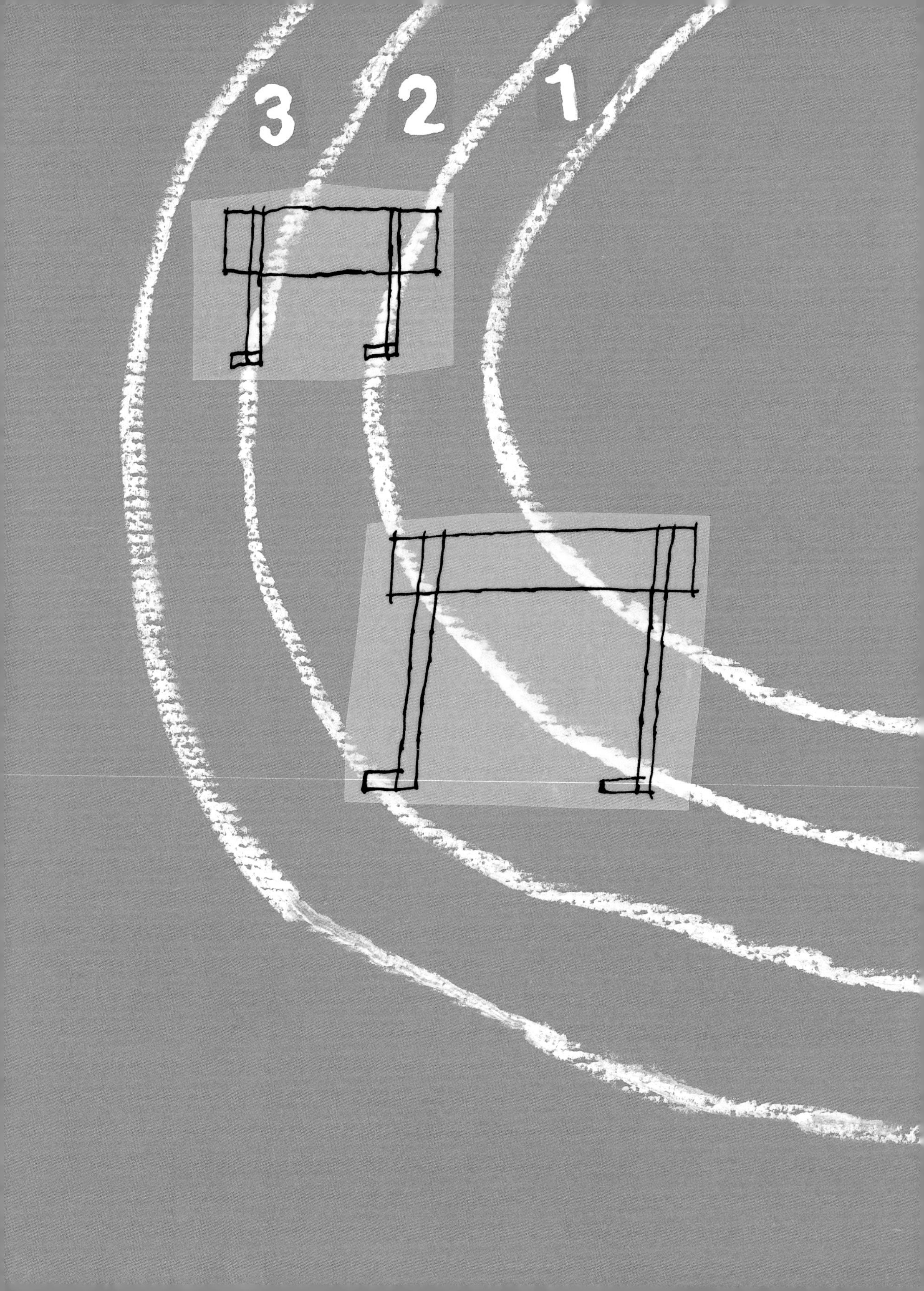
3
2
1

いつか、いちばんになれるかな？

しあわせ
将来のゆめ
不幸
存在
人生の意味
死

うん。
だって、
それがぼくの
ゆめだもん。

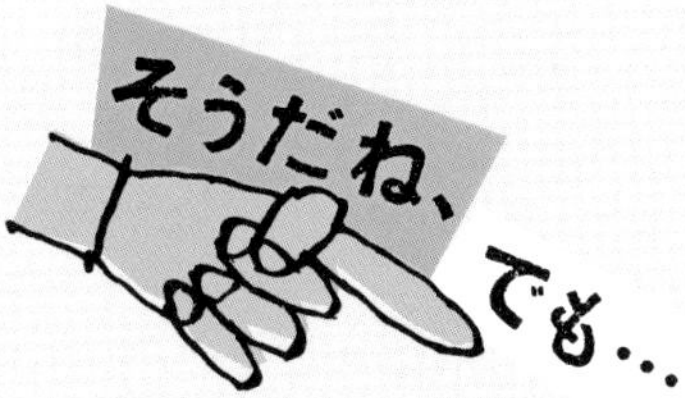

ゆめがじゃまになることって、
ない？

ゆめが変《か》わることだって、
あるよね？

ゆめって、
現実《げんじつ》よりすてきなもの？

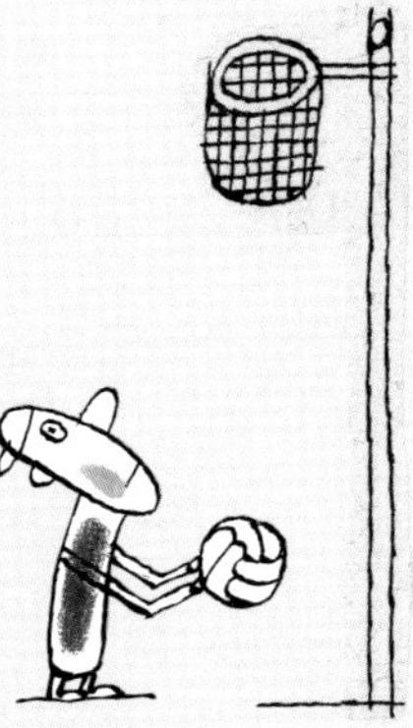

3

ゆめって、
みてるだけで、かなうもの？

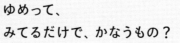

なれるよ。おとうさんも

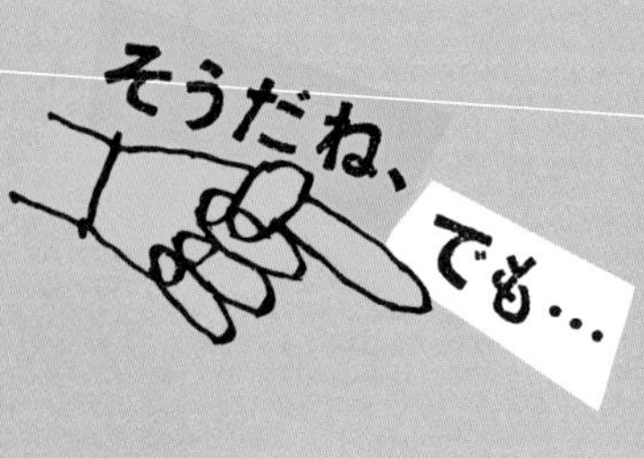

親《おや》って、ときどき、
無理《むり》なこと言ったりしない？

親《おや》がのぞめば、
いちばんになれるの？

おかあさんも そういってるし。

きみにその気がなくっても？

そうだね、でも…

運《うん》って、いったい、
どんなもの？

運《うん》がよかったらね。

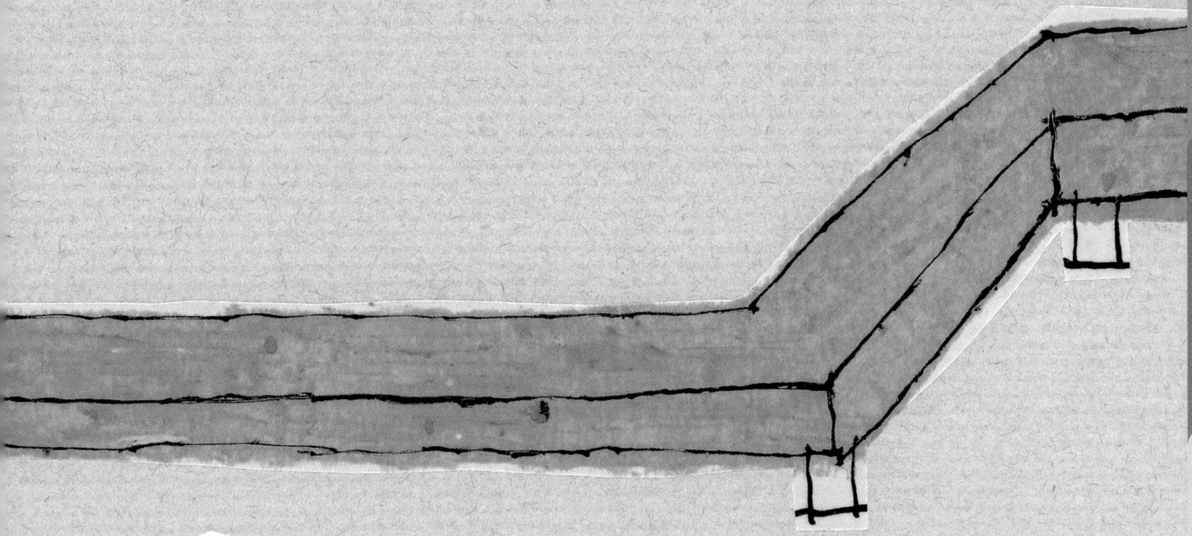

どうして、みんな
運《うん》をあてにするんだろう？

きみの人生は、
きみが決《き》めるものじゃない？

いつか、いちばんになれるかな？

いっぱい練習《れんしゅう》すれば、なれる。

がんばって練習《れんしゅう》してるのは、
いちばんのひとだけ？

すっごく才能《さいのう》があっても、
練習《れんしゅう》って必要《ひつよう》？

練習《れんしゅう》さえしてれば、
いちばんになれるのかな？

うん。だって、
有《ゆう》名《めい》人《じん》になりたいし…

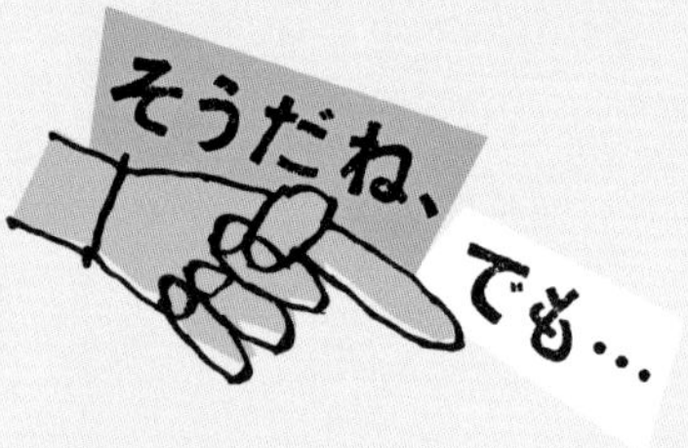

テレビにでてるひとたちは、
テレビをみてるひとたちより
えらいの？

いちばんになれば有名《ゆうめい》になれるの？
有名《ゆうめい》になればいちばんになれるの？

テレビにでなくなってからは、
どうなるんだろう？

…テレビにもでたいもん！

金メダリストたちの人生は、
きみに、夢《ゆめ》と希望《きぼう》を与《あた》えてくれる。

自分の夢《ゆめ》を実現《じつげん》した彼《かれ》らのすがたをみて、きみは、かっこいいなぁってあこがれる。
でも、きみは知らないだろう。
そこにたどりつくまでに、彼《かれ》らが、どれだけ努力《どりょく》してきたか。
どれだけまわりに支《ささ》えられてきたか。どれだけ運《うん》がよかったか。
どれだけつよい意志《いし》をもって、自分の夢《ゆめ》ひとすじに進《すす》んできたか。

それに、いちばんになりたい！ って思ったからって、
自分の仕事《しごと》でその夢《ゆめ》を追《お》わなきゃならないわけじゃない。
きみがいちばんになれる場所《ばしょ》は、きっとどこかにあるはずだから。
きみだけの金メダルがみつかるかどうか、それは、きみの気もちしだいなんだ。

この問いについて考えることは、つまり…

…人生を長い目でみて、
肩《かた》の力をぬいてみること。

…ぼくはぼくの人生の
主役《しゅやく》なんだって、自分に
おしえてあげること。

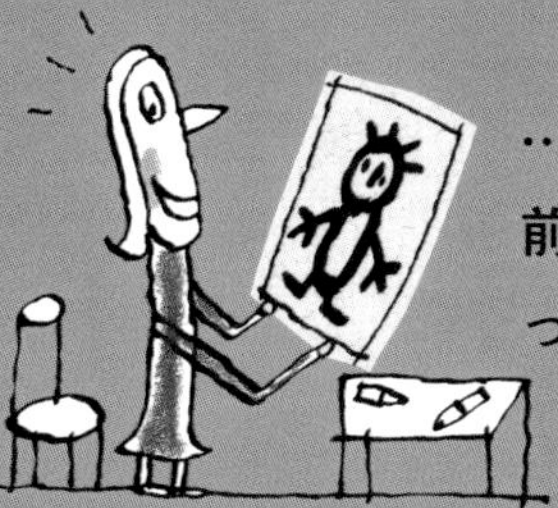

…もってる力をうまくいかせば、
前に進《すす》んでゆけるんだ
って気づくこと。

…金メダリストだって、
ぼくらとおんなじ
ふつうのひとかも、
って考えてみること。

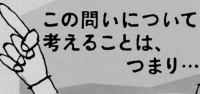

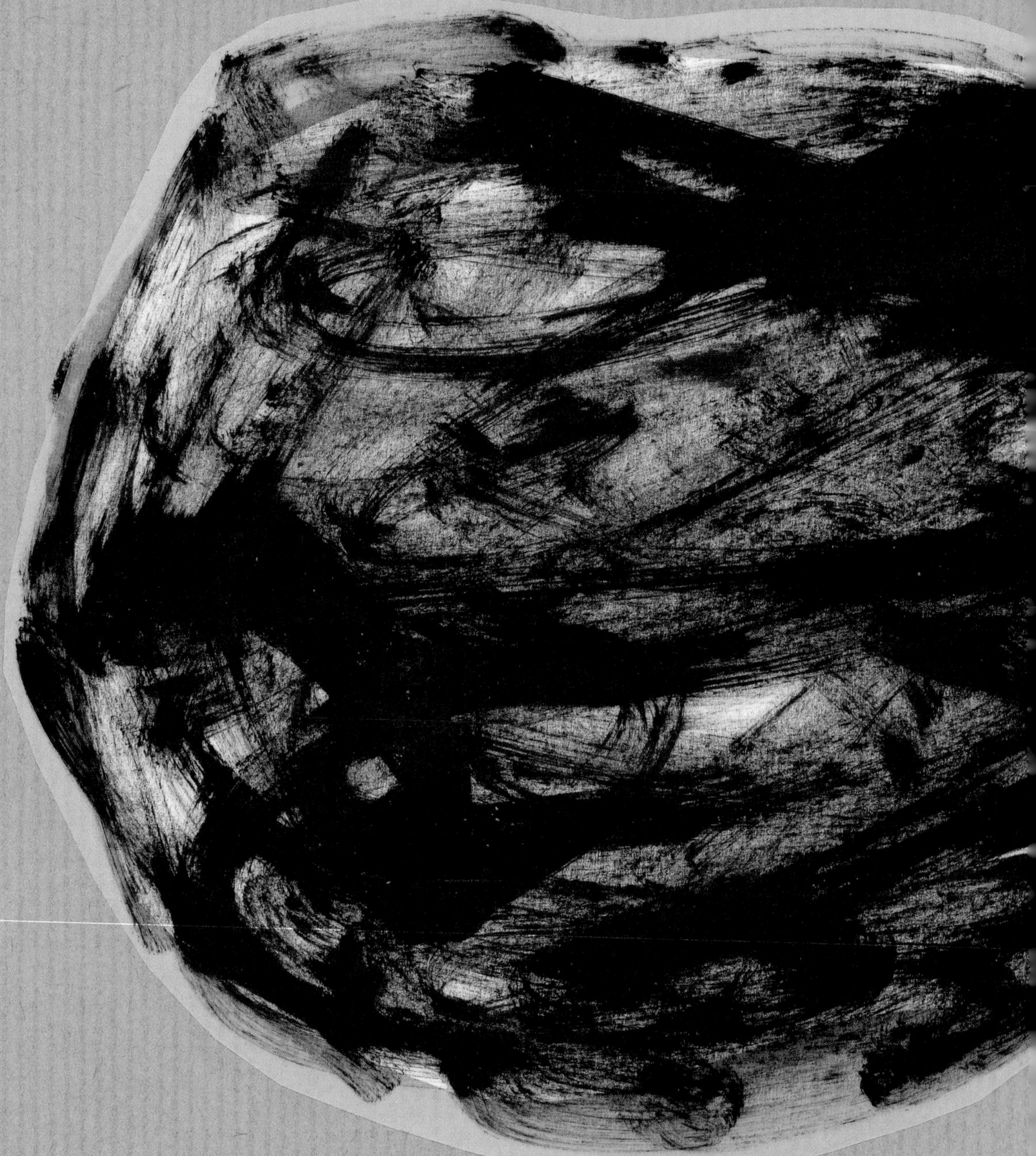

人生って、なんでつらいんだろう？

ぼくよりつよいやつがいるからだよ。

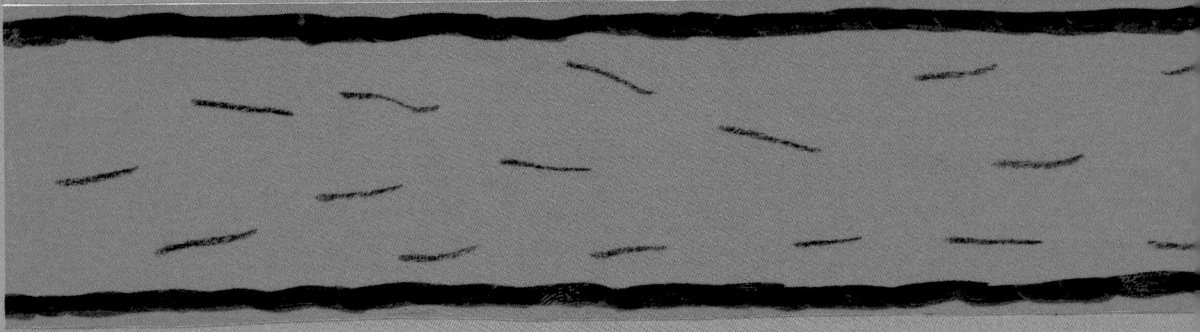

そういう子って、
どんなことにも、
つよいのかな?

きみよりつよい子がいるのって、
わるいことばかりでもないんじゃない?

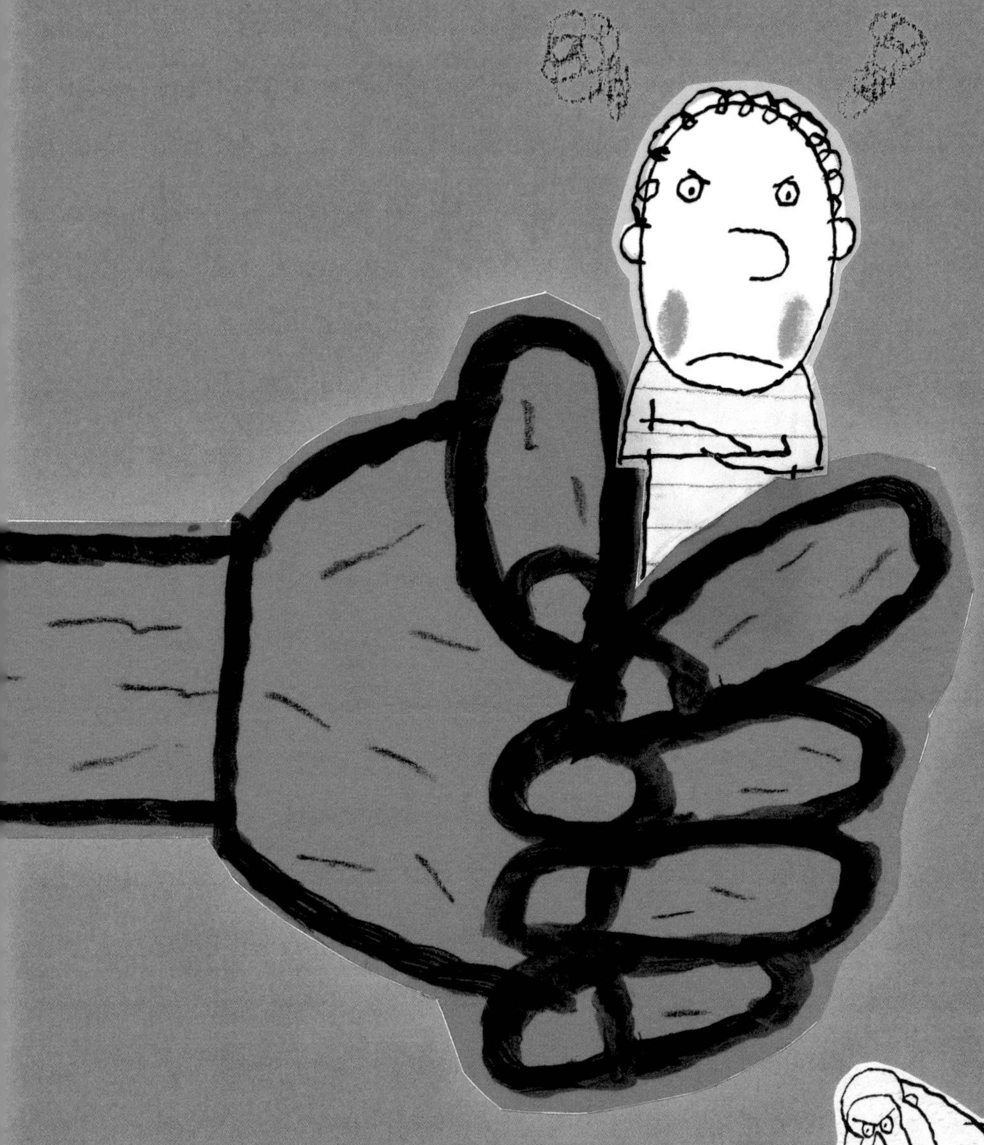

べつの子からみれば、きみが、
「ぼくよりつよいやつ」かもよ？

たべるものが
なんにもない
ひとたちも
いるから。

だからって、
たくさんもってるひとに、
わけてあげなさい！
なんて言える？

どうして、
みんなでわけあえないんだろう？

おなかをすかせたひとがいなくなるように、
なんとかするのも、できるのも、
みんなの国の政府《せいふ》なんじゃない？

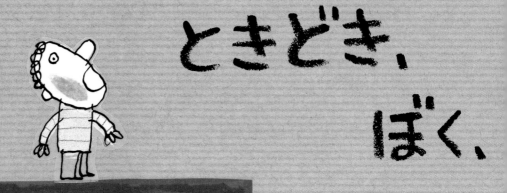

ときどき、

ぼく、

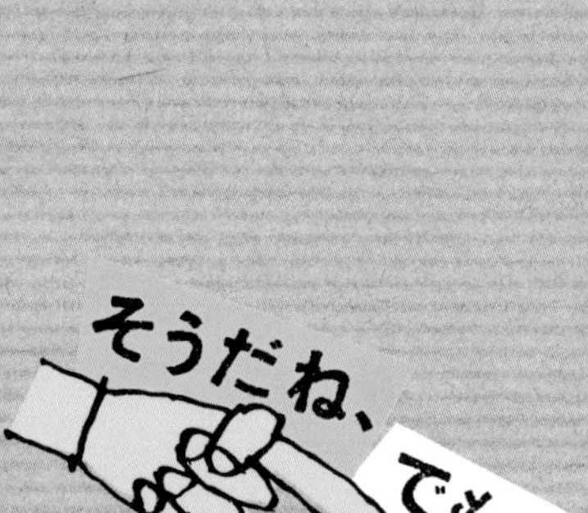

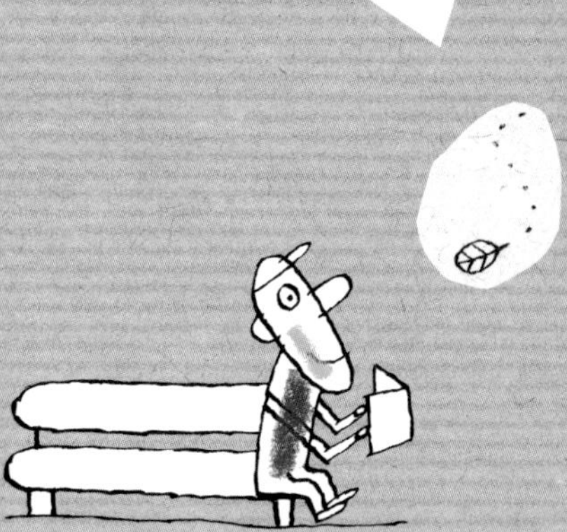

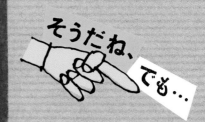

ひとりでいるのって、
そんなにつらいこと？

ひとりぼっちだ っておもうから。

きみのこと好《す》きな子がいても？

ひとりぼっちで、さみしい、
って思ってるのは、きみだけ？

戦争《せんそう》って、なくせないもの？

戦《せん》争《そう》があるから。

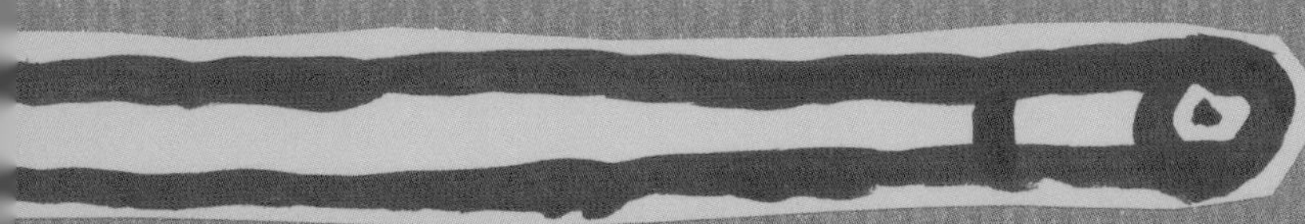

戦争《せんそう》がおきたら、きみはどうなる？

きみは、戦争《せんそう》ごっことか、したことない？

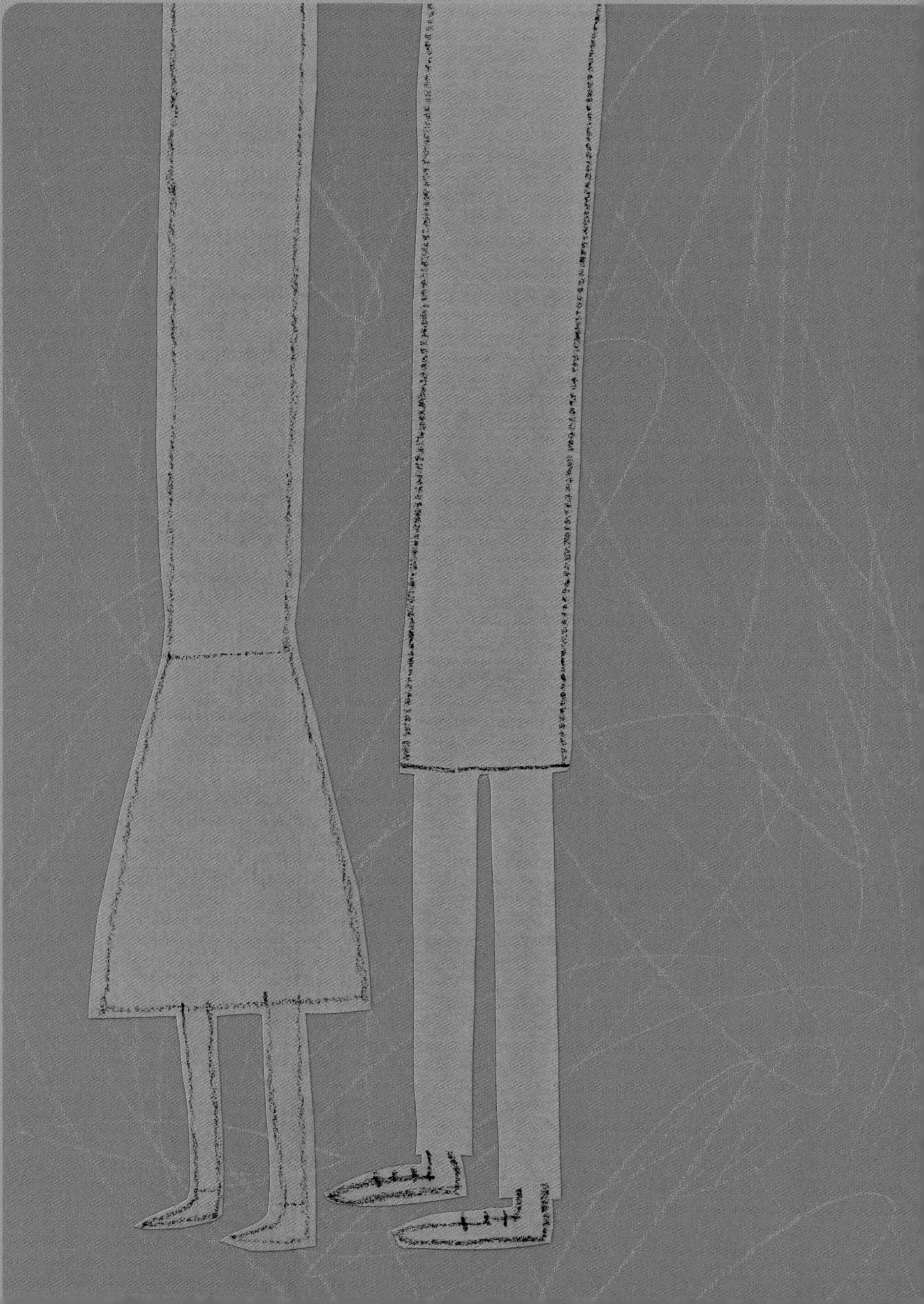

おかあさんもおとうさんも、ぼくのこと、わかってくれないんだもん。

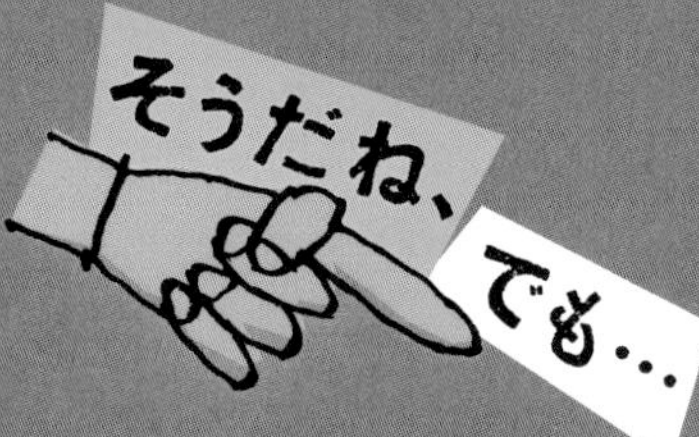

きみは？ 親《おや》のこと、
わかろうとしてる？

親《おや》って、カンペキ？

だからって、
きみを愛《あい》してないなんて
思う？

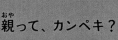

人生って、いつもいいことばかりとはかぎらない。

それは、きみにとっても、みんなにとっても、おなじこと。
自分はなんてよわいんだろう、どうしてみんなとちがうんだろう、
だれもわかってくれないんだ——そんな気がして、ときどきふっと、さみしくなる。
それで、ぼくはひとりぼっちだ、って思う。ぼくは不幸《ふこう》なんだ、って。

もちろん、そんなことばかりじゃない。しあわせいっぱいなときだって、ある。
けど、そんなときでも、きみは知ってる。
世界《せかい》のあちこちに、めぐまれないひとたちがいることを。
貧《まず》しさや、暴力《ぼうりょく》にくるしんでいるひとたちが、いることを。

そしてきみは、かなしくなる。どうして、世界《せかい》はこんなふうなのか、
どうして、それをどうにもできないのか、その答えが、みつからないから。
でも、つらい思いをしたくない、って思うその気もちこそ、
そこからぬけだすはじめの一歩《いっぽ》なのかもしれない。

この問いについて考えることは、つまり…

…この世《よ》はカンペキじゃない、
不公平《ふこうへい》や暴力《ぼうりょく》にあふれてる、
そんな現実《げんじつ》と正面《しょうめん》から向きあうこと。

…すぐそこにあるしあわせを
見のがさず、しっかりつかまえて
たいせつにすること。

…人生、つらいことはたくさんあるけど、
変《か》えられるところから変《か》えていけばいいんだ、
って考えてみること。

…みんながいなきゃ
しあわせは手に入らない、
自分のことだけ考えてちゃ
だめなんだって気づくこと。

どうして、人間は存《そん》在《ざい》するの？

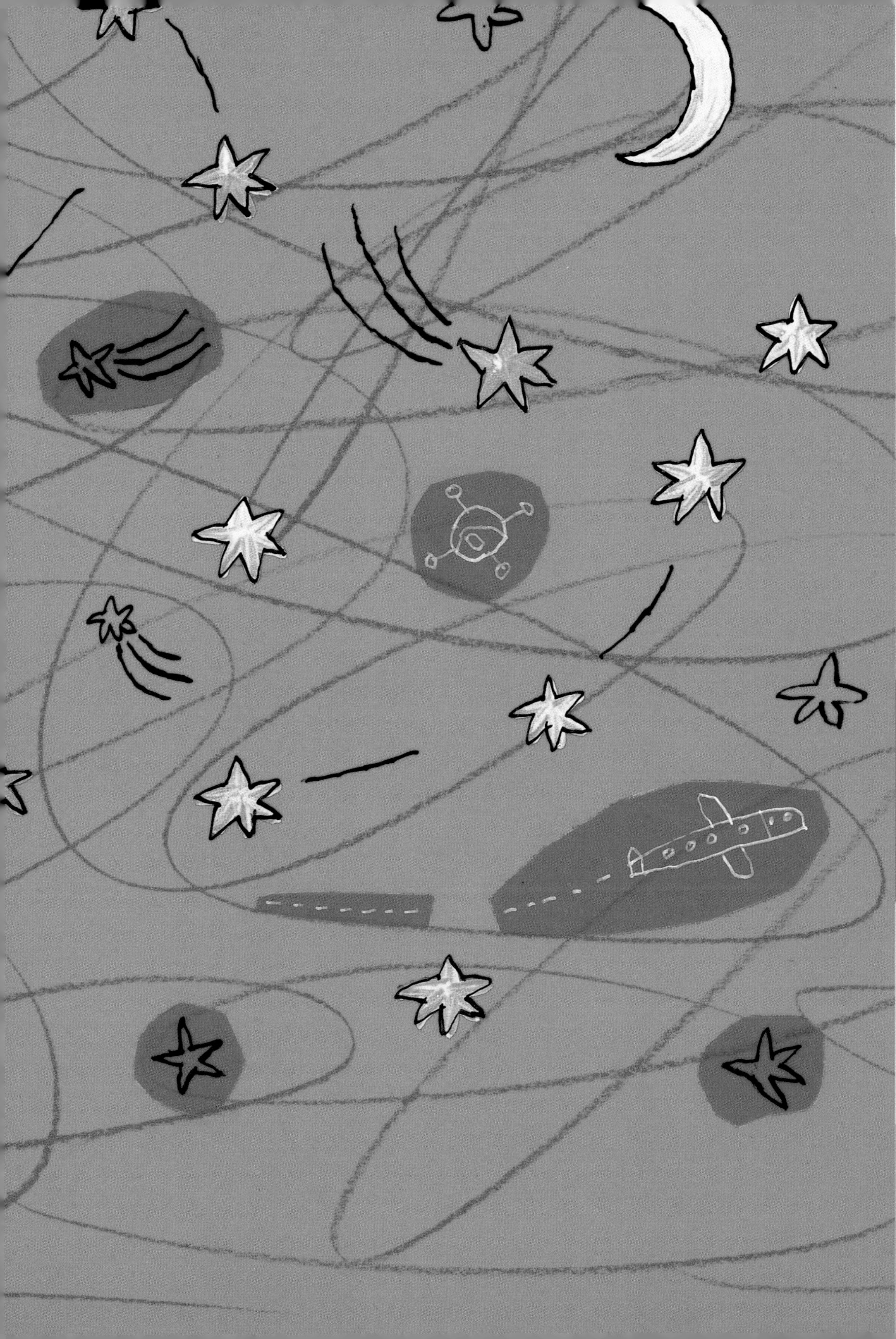

かみさまが、
そうきめたから。

かみさまは、
どうして人間を
つくったんだろう？

かみさまって、
どのかみさま？
いろいろいるよね？

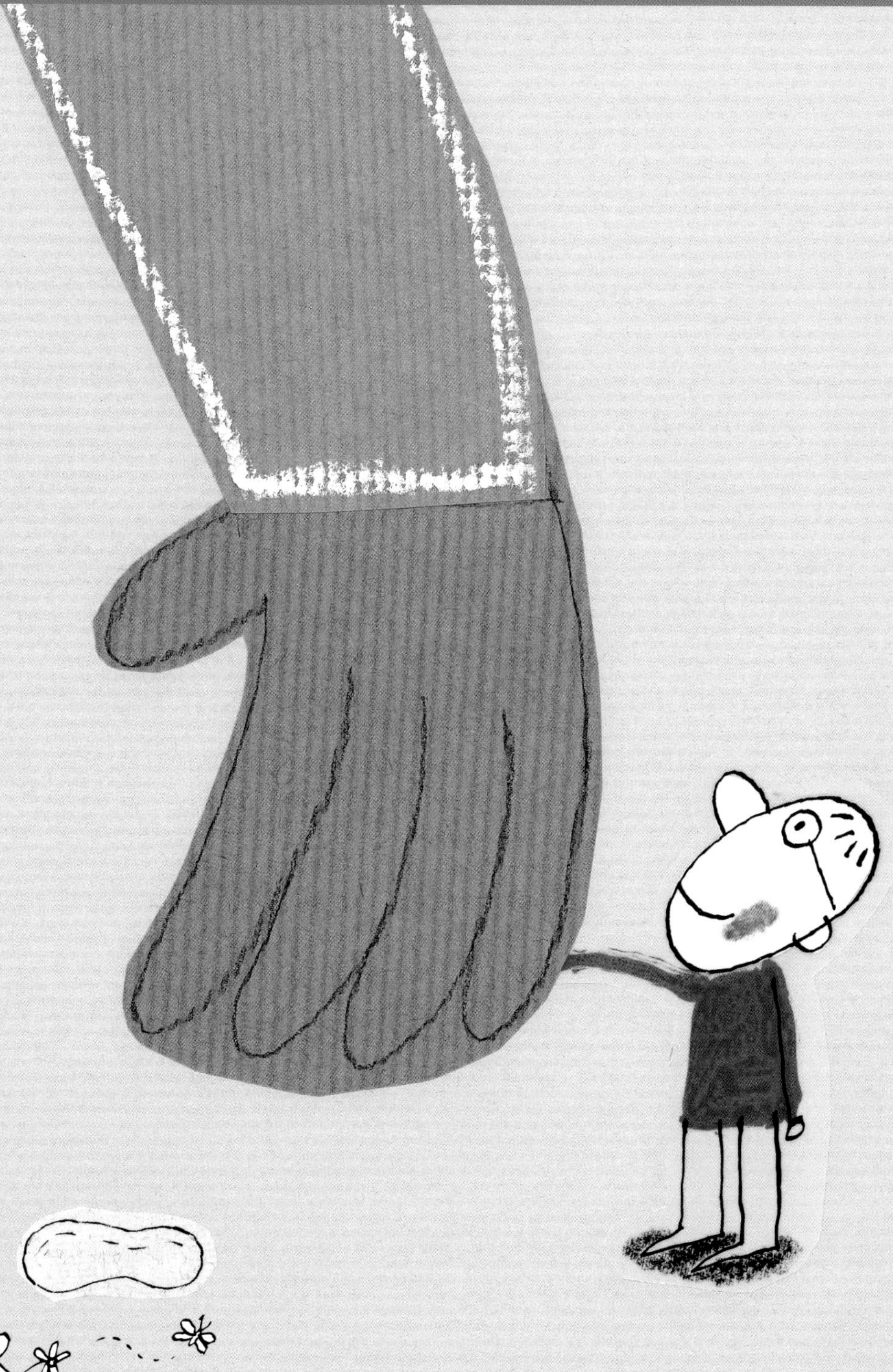

かみさまを信じてないひとも
いるよね？

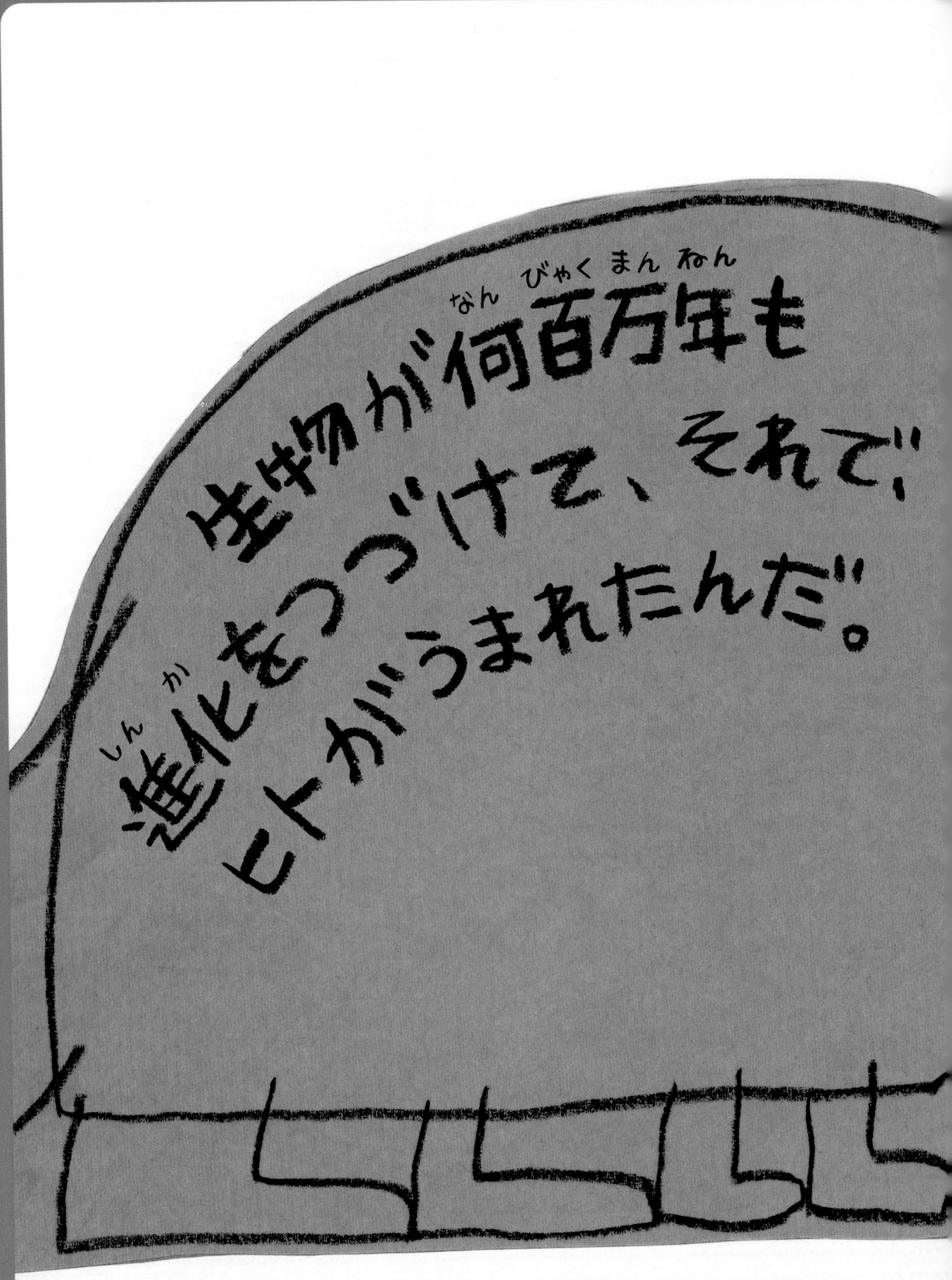
生物が何百万年《なんびゃくまんねん》も
進化《しんか》をつづけて、それで
ヒトがうまれたんだ。

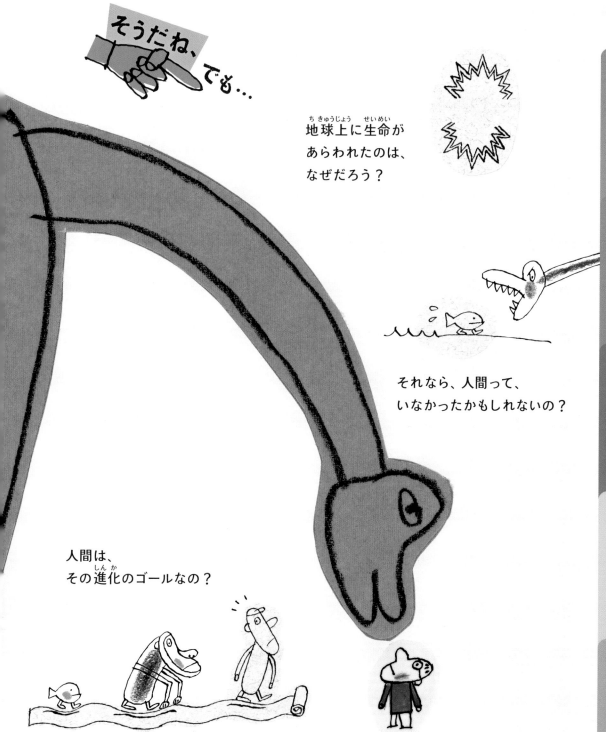

そうだね、でも…

地球上《ちきゅうじょう》に生命《せいめい》が
あらわれたのは、
なぜだろう？

それなら、人間って、
いなかったかもしれないの？

人間は、
その進化《しんか》のゴールなの？

だって、地球《ちきゅう》にすむ
ひとがいなかったら、
こまるでしょ。

地球《ちきゅう》には、
人間が必要《ひつよう》だったのかな？

人間には、
地球《ちきゅう》が必要《ひつよう》だったのかな？

人間は、
地球《ちきゅう》をだめにしやしないだろうか？

人間だけが、理解《りかい》したり説明《せつめい》したりできるからだよ。

それって、
なんの役《やく》にたつの？

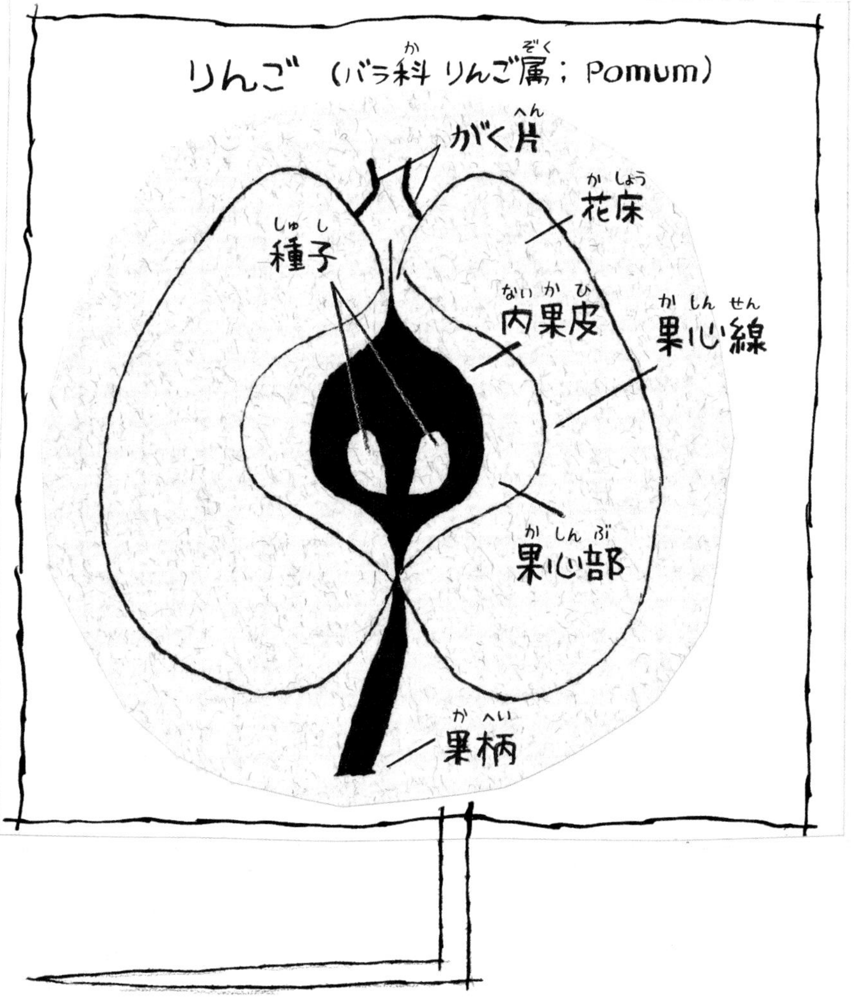

人間のほうが、
動物《どうぶつ》や木や星より、
えらいってこと？

人間にしかできないなんて、
どうしてわかるの？

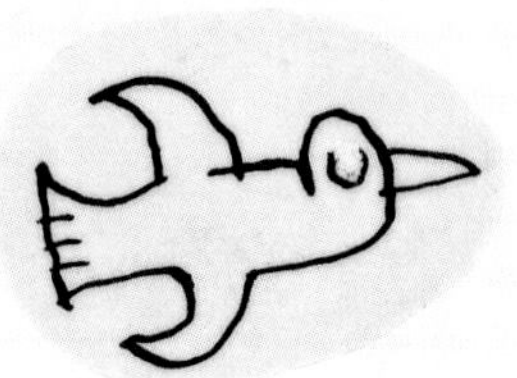

なんとなく。

それって、
答えがわからないってこと？

なんのためでもなく、
ただ自分のためだけに存在《そんざい》してる
なんて、そんなこと、あるのかな？

なんのためでもないってことは、
なんの役《やく》にもたたないってこと？

なんとなくいるのも、
いいよね？

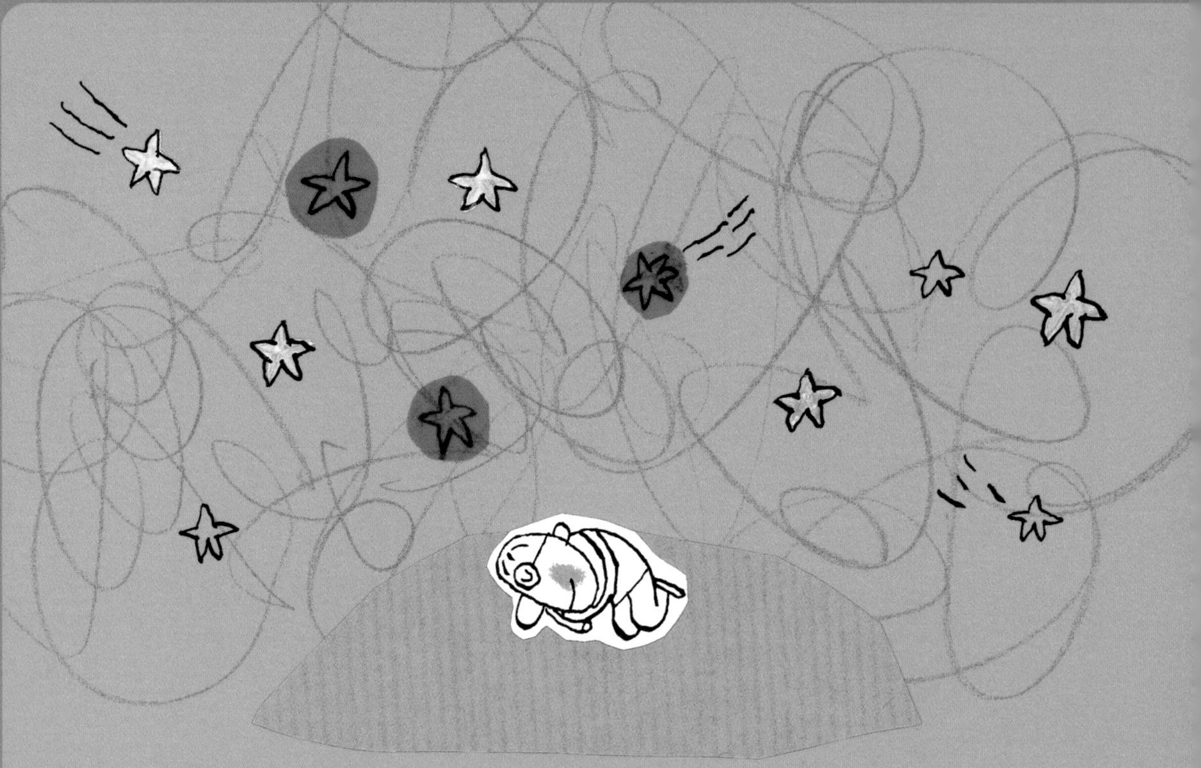

人間は存在《そんざい》している。それは、まちがいない。

だけどときどき、ふと立ちどまり、自分のすがたにぎょっとする。
そして、自分に問いかける。どうしてぼくは、ここにいるのか？
ぼくがこうして生きてることに、いったいどんな意味《いみ》があるのか？
ぼくをこの世《よ》に送《おく》りだしたのは、かみさまなのか、それとも自然《しぜん》の力なのか？
地球《ちきゅう》にとっては、人間なんていないほうがいいんじゃないか？

人間には、考える力がある。
そして、自分たちのしてきたことをふりかえっては、その力におどろき、不安《ふあん》になる。

自分がこうして生きていることに、はっきりした理由《りゆう》でもあるんだろうか？
はたすべき使命《しめい》でも、与《あた》えられているんだろうか？
それとも、ぼくらは、たまたまこの世《よ》にころがりおちてきただけなんだって、
みとめるべきなんだろうか？

この問いについて考えることは、つまり…

…いつもとおなじ毎日からぬけだして、
この自分という存在《そんざい》を、
あたらしい目でみつめてみること。

…ぼくたちの過去《かこ》と現在《げんざい》、そして未来《みらい》に、
自分のてがかりをさがしてみること。

…ぼくたちひとりひとり、
ちがっていても、
みんなおんなじ人間なんだ
って気づくこと。

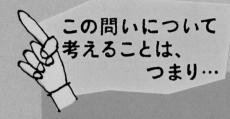

ぼくたち、
なんで生きてるの？

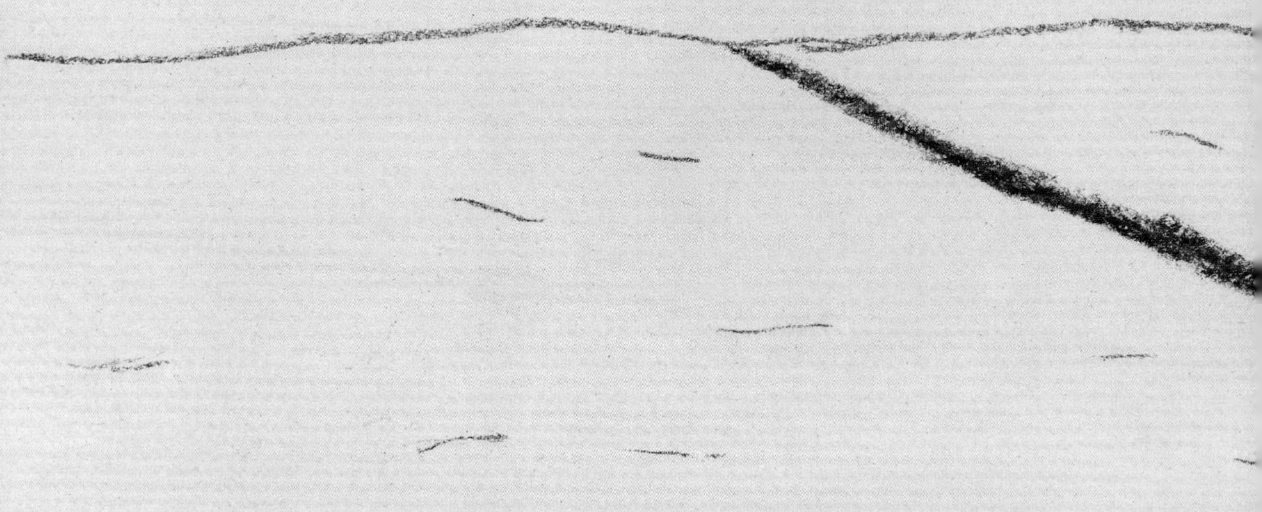

べんきょうしたり、しごとしたりするため。

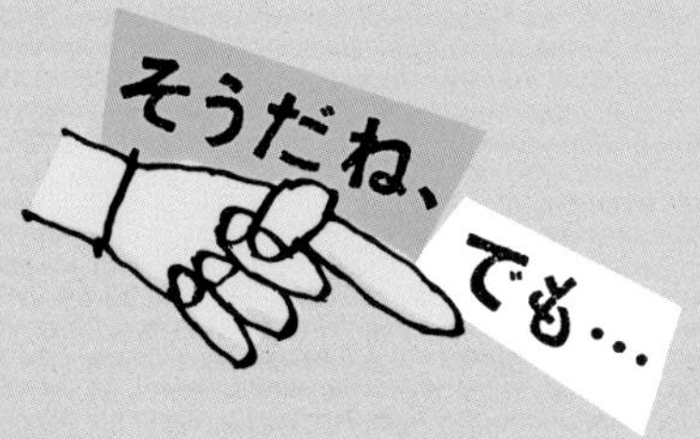

はたらくために生きてるの？

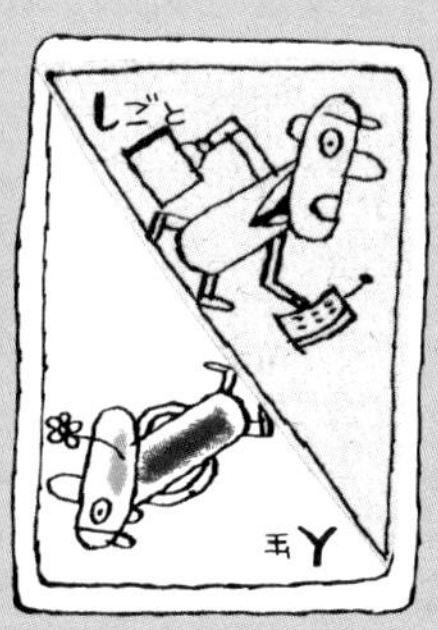

生きるためにはたらくの？

それなら、
はたらくのは、なんのため？

もし、はたらくのがいやだったら？

もしも、しごとがなかったら？

人生を
たのしむため。

そうだね、
でも…

とまれ!
ここより義務

人生って、
たのしんでばかりいられるもの？

人生を
たのしむには

人生のたのしみかたって、
おそわってわかるもの？

みんながみんな、
人生をたのしんでいるのかな？

人生

たのしいことだけで、
人生いっぱいにできるかな？

おかあさんと

こどもは、親《おや》にえらばれて
うまれてくるの？

ひとに生まれてなかったら、
きみは何になってただろう？

おとうさんが

であったから。

ぼくらをつくるのは、
親《おや》だけ？

こどもを
うむため。

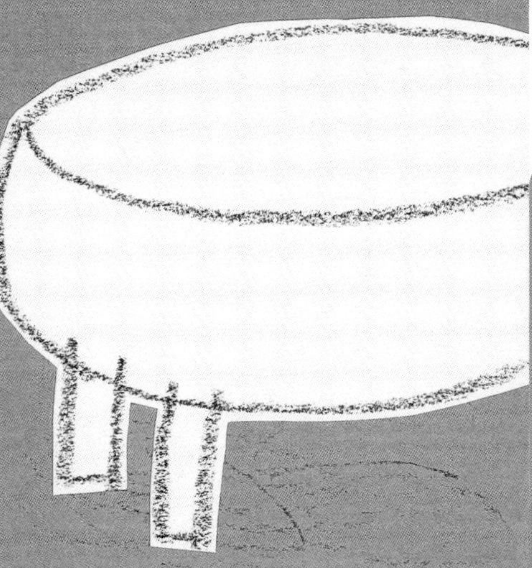

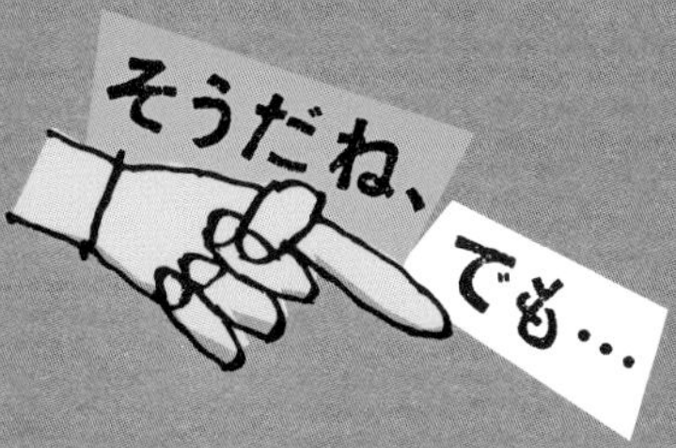

こどもをつくるのって、
自分のため？
それとも、こどものため？

こどもをうむか、うまないかで、
人生の重《おも》さにちがいがでるの？

人生って、
こどもをつうじて
生きるもの？

げんきだから。

健康《けんこう》って、なろうと思ってなれるもの？

からださえじょうぶなら、
いい人生がおくれるのかな？

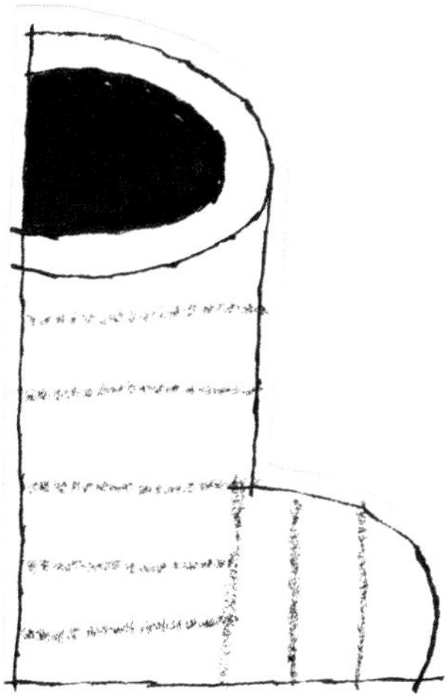

病気《びょうき》になったら、人生おしまい？

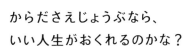

みんなが、ひとり
ならなくて すむ。

ぼっちに
ように。

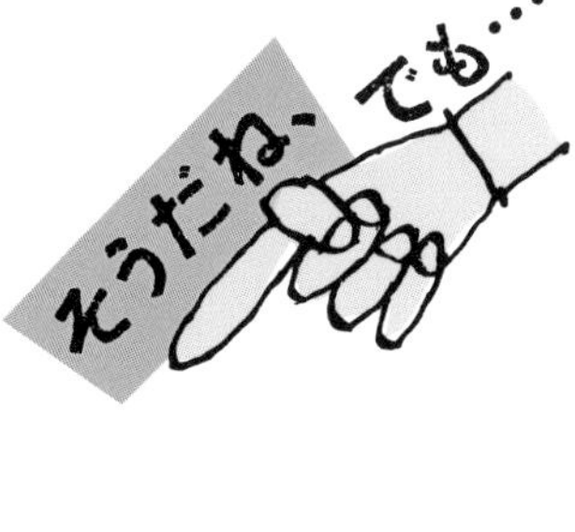

どうして、
だれかといっしょがいいんだろう？

自分のためにきてるの？
それとも、みんなのためにきてるの？

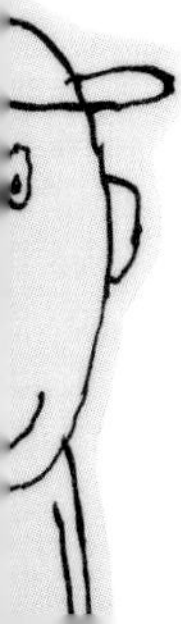

もしも、きみがいなくても、
みんな、いままでどおりかな？

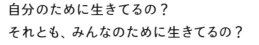

毎日まいにち、ぼくらは、朝《あさ》おきて、
ごはんを食べ、仕事《しごと》をして、生きていく。

そのくりかえし。それって、いったい、なんのため？
学《まな》ぶため、たのしむため、はたらくため、愛《あい》するため、こどもをつくるため、
みんなの力になるため。それとも、たんに、病気《びょうき》もせず健康《けんこう》だからだろうか。

でも、ぼくらがなぜ生きているのか、その理由《りゆう》を知る必要《ひつよう》なんてあるんだろうか？
人生はすばらしい。人生はなぞでいっぱいだ。
それで十分じゃないか、って思うひともいれば、
それだけじゃなっとくできない、ってひともいる。
人生の意味《いみ》をみつけるまで、この問いを追いつづけずにはいられないひとたちが。

この問いについて考えることは、つまり…

…人生をなりゆきまかせにしないこと。

…ぎっしりつまった人生に必要《ひつよう》なものってなんなのか、きちんと自分で考えること。

…人類《じんるい》の歩《あゆ》む道のりを変《か》えてしまうような問題《もんだい》がどこかにあるんだって、あたまに入れておくこと。

どうして、ひとは死《し》ぬの？

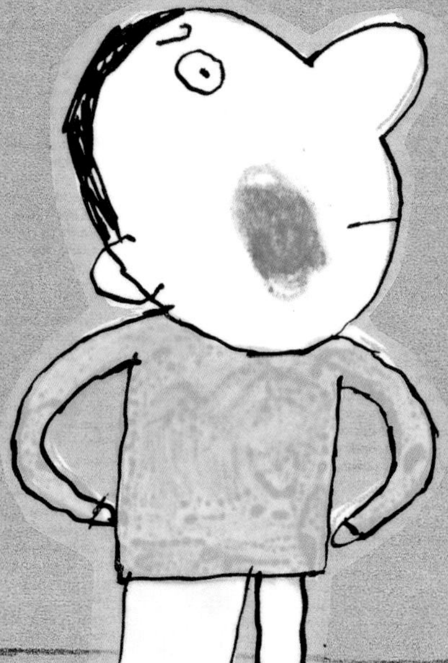

ずーっと生きてたら、あきちゃうから。

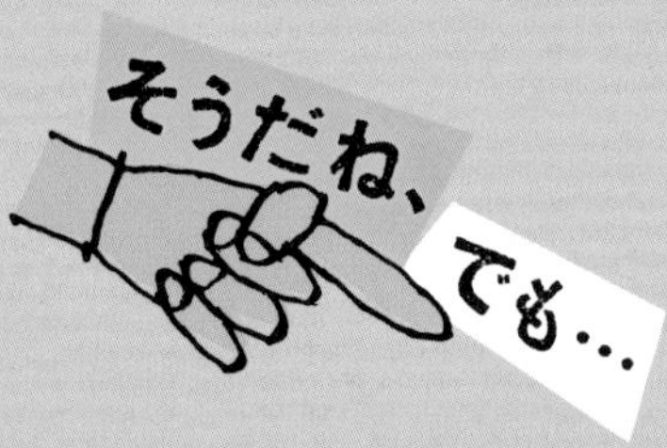

ずっと生きつづけてるひとなんて
いないのに、どうしてわかるの？

人生にあきちゃうなんてこと、
あるんだろうか？

人生このくらいがちょうどいい、なんて、
だれに決《き》められるんだろう？

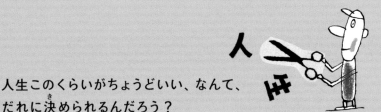

何十年も
生きてたら、
からだがくたびれ
ちゃうから。

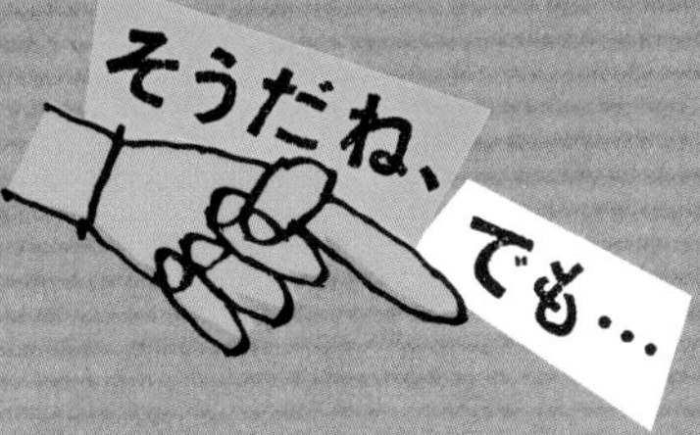

若《わか》くて死《し》ぬひとも、
いるよね？

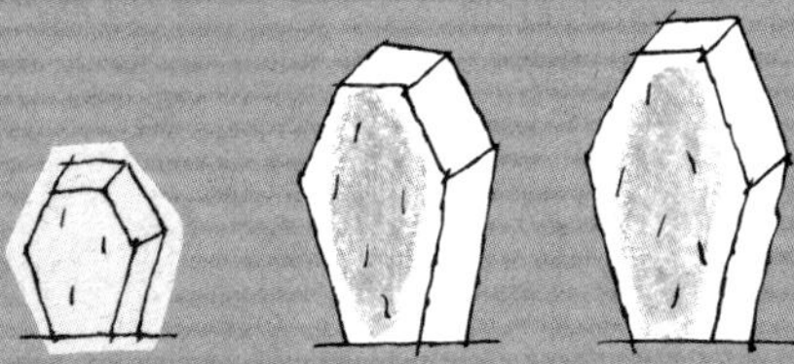

毎日たのしく生きてたら、
ゆっくり年《とし》をとれるかな？

みんなよりじょうぶなひとって、
何がちがうんだろう？

死神《しにがみ》が
つれにくるんだ。

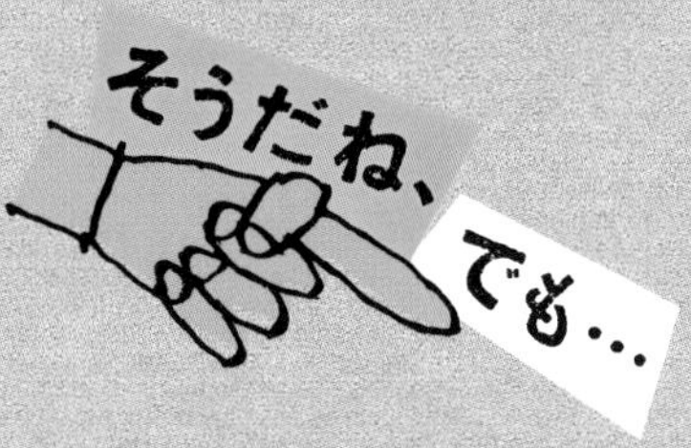

そしたら、
だまって言うこときくの？

死神《しにがみ》をおいかえす方法って、
ないのかな？

死神《しにがみ》がぼくらをむりやりつれてくの？
それとも、ぼくらがついてゆくの？

べんきょうすることが、なくなっちゃう

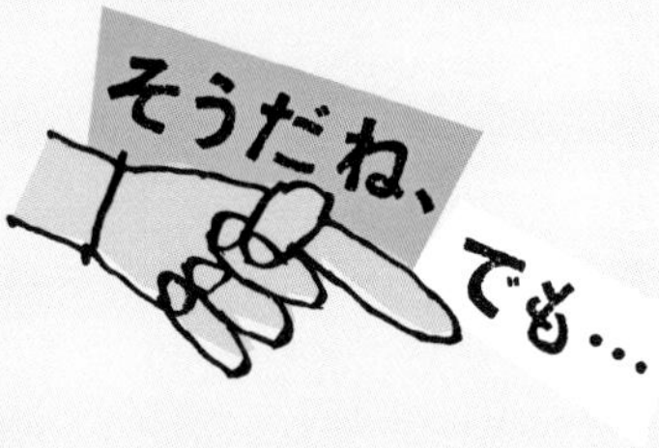

人生って、べんきょう以外にも、
することあるよね？

せっかくべんきょうしたことを、
だれかにおしえてあげなくていいの？

たったいちどの人生だけで、
何から何まで、
べんきょうできる？

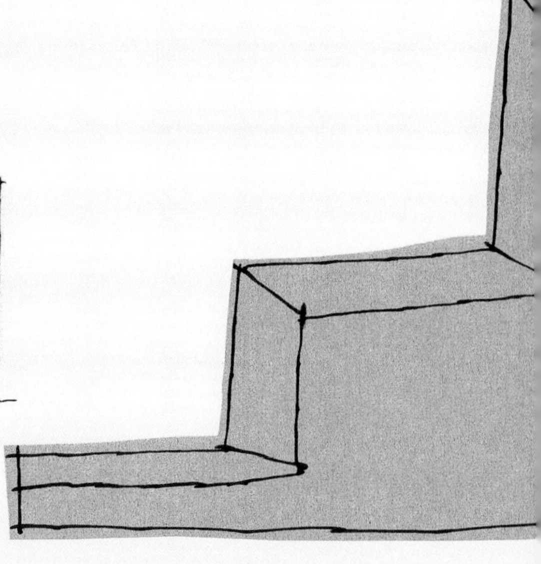

なんにも
からかな。

天《てん》国《ごく》へゆくため。

そうだね、でも…

死《し》んでもたましいがのこるって、
どうしてわかるの？

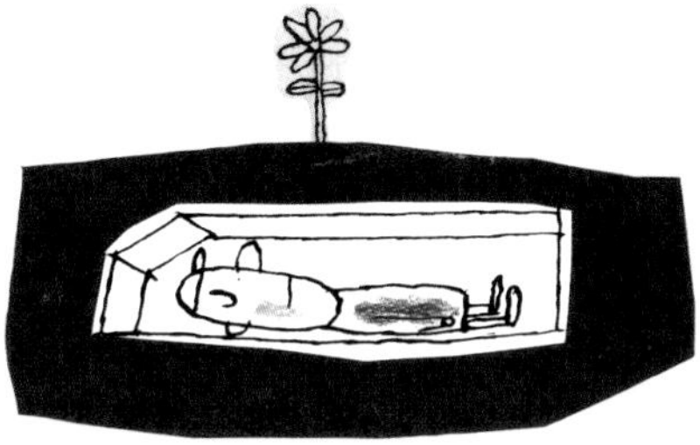

もし、天国《てんごく》がなかったら？
死《し》んだひとたちは、
どこへゆくんだろう？

死《し》んだらかならず、
どこかへ行かなきゃいけないの？

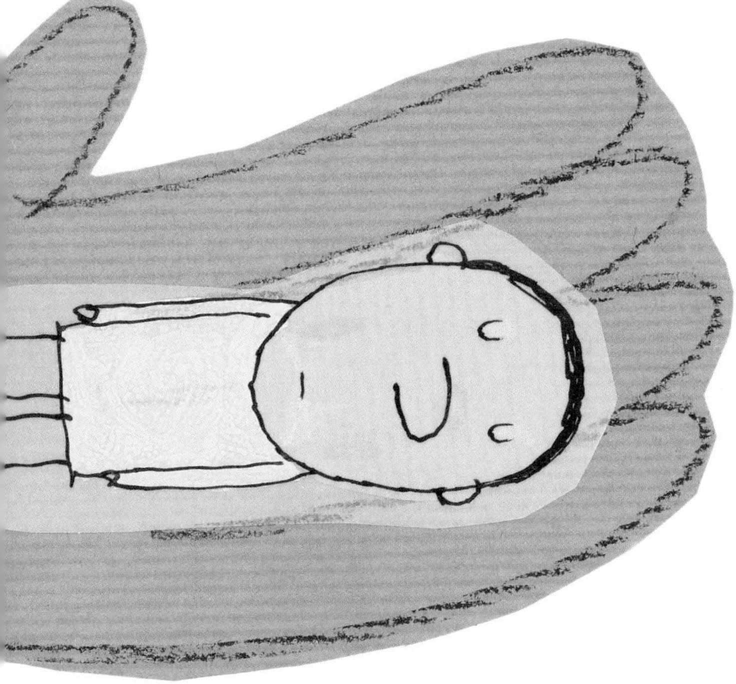

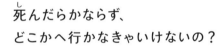

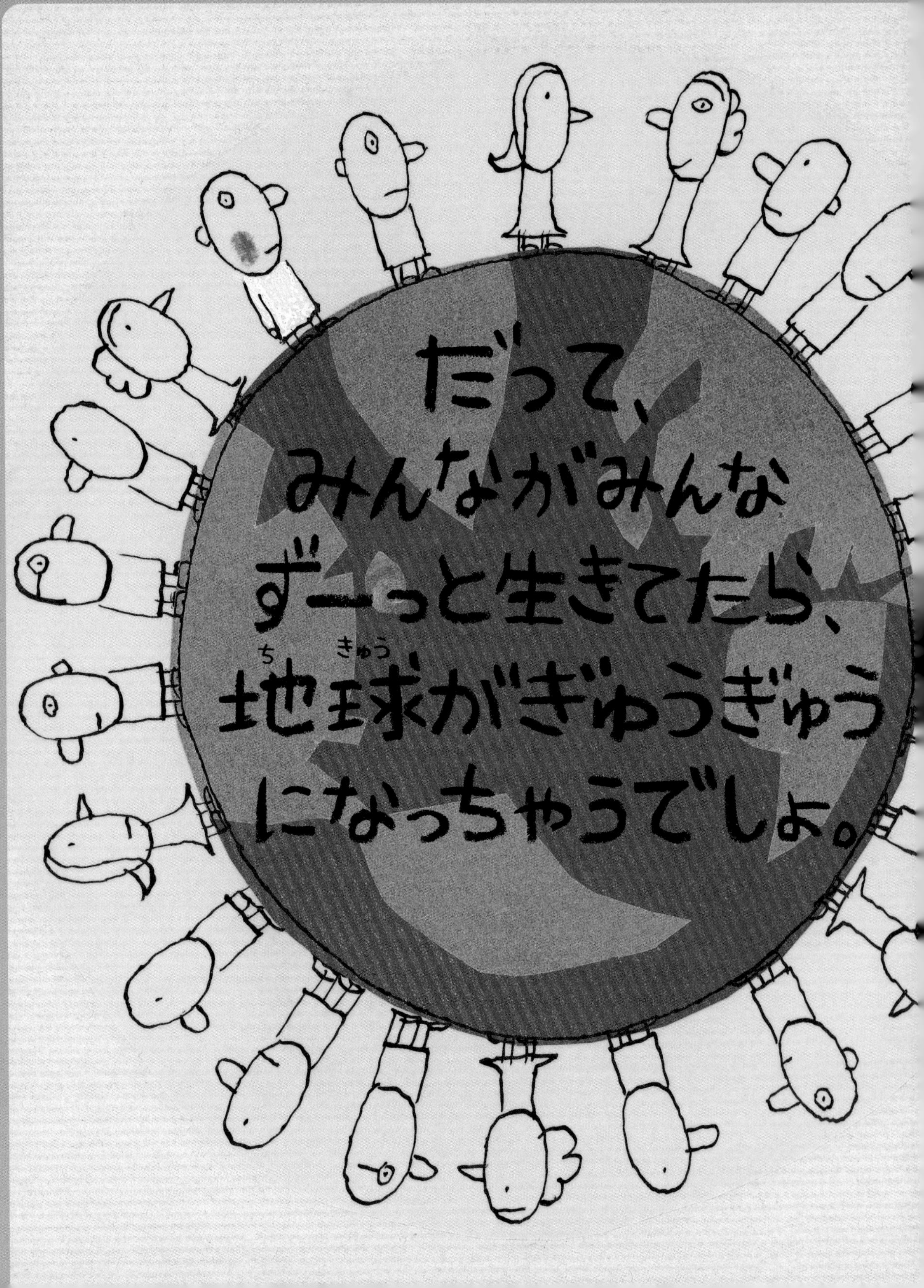
だって、
みんながみんな
ずーっと生きてたら、
地《ち》球《きゅう》がぎゅうぎゅう
になっちゃうでしょ。

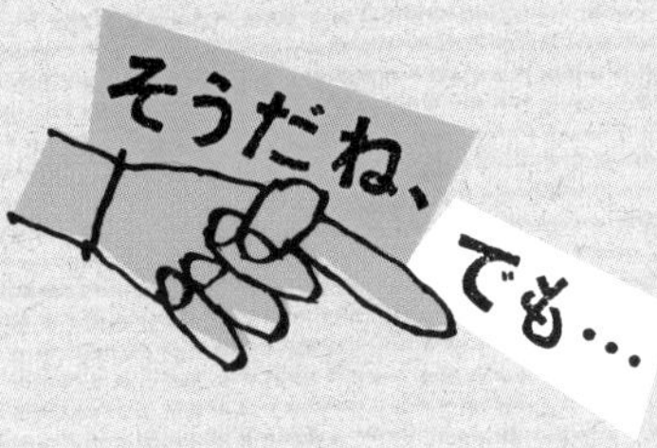

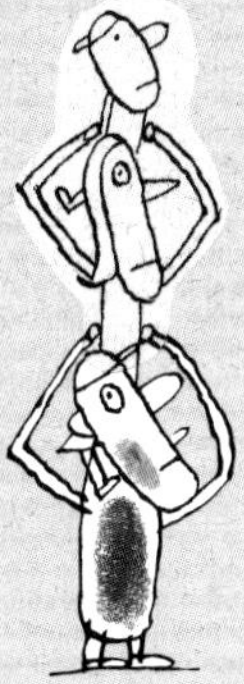

地球《ちきゅう》には、ほんとに場所《ばしょ》がたりないのかな？

ってことは、死《し》ぬって、
ひとの役《やく》にたつことなの？

ぼくたちひとりひとり、
かけがえのない存在《そんざい》じゃない？

死《し》は、なぞだらけの現実《げんじつ》だ。

死《し》は、ぼくらをこわがらせ、ぼくらは、死《し》を忘《わす》れたくて、
まるで自分が不老不死《ふろうふし》であるかのようにふるまってみたりする。

でも、ぼくらはみんな、いつか死《し》ぬ。
くたびれてかもしれないし、だれかに場所《ばしょ》をゆずるためかもしれない。
天国《てんごく》にゆくためかもしれないし、たんに、そういうものだからかもしれない。

理由《りゆう》はどうあれ、ぼくらはみんな、いつか死《し》ぬ。
目の前にひろがる人生と、そして、その先にあらわれてくるはずの死《し》に、
どう向きあってゆけばいいのか。
それを考えるはじめの一歩《いっぽ》として、
ぼくらは、まず、この現実《げんじつ》を、きちんと受《う》けとめるべきなんだ。

この問いについて考えることは、つまり…

…死《し》という現実《げんじつ》から目をそむけずに、
いっしょに生きてみようとすること。

…死《し》も人生とおんなじで、100人いれば100通《とお》り、
いろんな意味《いみ》があるんだって気づくこと。

…ぼくらの一生にはかぎりがあるけど、
人生ってすばらしい、
その価値《かち》をせいいっぱい受《う》けとめること。

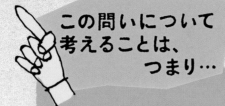

オスカー・ブルニフィエ

哲学の博士で、先生。おとなたちが哲学の研究会をひらくのをてつだったり、こどもたちが自分で哲学できる場をつくったり、みんなが哲学となかよくなれるように、世界中をかけまわってがんばってる。これまでに出した本は、中高生向けのシリーズ「哲学者一年生」(ナタン社)や『おしえて先生！ 論理学』(スイユ社)、小学生向けのシリーズ「こども哲学」、「哲学のアイデア」、「はんたいことばで考える哲学の本」(いずれもナタン社)、「てつがくえほん」(オートルモン社)、先生たちが読む教科書『話しあいをとおして教えること』(CRDP社)や『小学校教育における哲学の実践』(セドラップ社)などなど、たくさんあって、ぜんぶあわせると35もの国のコトバに翻訳されている。世界の哲学教育についてユネスコがまとめた報告書『哲学、自由の学校』にも論文を書いてるんだ。
http://www.pratiques-philosophiques.fr

ジェローム・リュイエ

ジェローム・リュイエは、1966年、マダガスカルのフォール-ドーファンにうまれた。それから、イラストレーターになろうと思って、ストラスブールの装飾美術学校に進んだ。
いまの彼の人生は、こどもたちが読む本の絵を描いたり、お話をつくったりすることだ。
仕事のあいまに、ときどき、山をながめる。彼の家はイゼール県にあるから、アルプス山脈がすぐ近くなんだ。それに、山がだいすきだから。
「人生って、なに？」って質問したら、彼はこう答えてくれた。「人生って、なに？ って自分にきいてみることじゃないかな。答えがあるとはかぎらないけどね。」

西宮かおり

東京大学卒業後、同大学院総合文化研究科に入学。社会科学高等研究院(フランス・パリ)留学を経て、東京大学大学院総合文化研究科博士課程を単位取得退学。訳書に『思考の取引』(ジャン=リュック・ナンシー著、岩波書店)、『精神分析のとまどい』(ジャック・デリダ著、岩波書店)、「こども哲学」シリーズ10巻(小社刊)などがある。

「どうして、ひとは死ぬの？」扉――ルイ-マラン・ボネ『帽子をかぶった婦人の肖像』、レンブラント『自画像』
「どうして、ひとは死ぬの？」まとめ――レンブラント『自画像』

後《ご》のひとときを過《す》ごしているのだろう。

あの建物《たてもの》の中《なか》にたくさんのひとが暮《く》らしているんだな、とあらためて気《き》づいた。ウチよりも幸《しあわ》せな家族《かぞく》もあるし、不幸《ふこう》な家族《かぞく》もあるんだろうな。でも、ほんとうは、そんなのは一瞬一瞬《いっしゅんいっしゅん》で変《か》わって、幸《しあわ》せになったり不幸《ふしあわ》せになったりを繰《く》り返《かえ》すものなのかな。シュウタくんの短《みじか》い人生《じんせい》は、最後《さいご》の最後《さいご》は不幸《ふこう》だったけど、それまでは幸《しあわ》せだったら、いいな。アフリカの女《おんな》の子《こ》も、テレビカメラの回《まわ》っていないところで笑《わら》っていてくれたら、いいな。

そんなこと、ふだんは考《かんが》えないけど。

今日《きょう》は特別《とくべつ》な一日《いちにち》だから、たまにはいいよな、と思《おも》う。

ぼくは歩《ある》きだす。シロも帰《かえ》り道《みち》のほうが元気《げんき》になって、リードをひっぱって先《さき》を進《すす》む。

家《いえ》に帰《かえ》ると、テーブルにはケーキが置《お》いてあるだろう。ロウソクに火《ひ》を灯《とも》し、部屋《へや》の明《あ》かりが消《き》えると、十二本《じゅうにほん》のロウソクに照《て》らされたお父《とう》さんとお母《かあ》さんの顔《かお》は、にこにこ笑《わら》っているだろう。

今日《きょう》は、ぼくの誕生日《たんじょうび》だ。

しげまつ・きよし――1963年生まれ。早稲田大学教育学部卒。出版社勤務を経て執筆活動に入る。ライターとして幅広いジャンルで活躍し、91年に『ビフォア・ラン』で作家デビュー。99年『ナイフ』で坪田譲治文学賞、『エイジ』で山本周五郎賞、2001年『ビタミンF』で直木賞、10年『十字架』で吉川英治文学賞、14年『ゼツメツ少年』で毎日出版文化賞を受賞。著書に『流星ワゴン』『疾走』『きみの友だち』『青い鳥』『とんび』『希望の地図』『きみの町で』『木曜日の子ども』など多数。

くなってしまいそうだから。

夕食《ゆうしょく》を終《お》えると、飼《か》い犬《いぬ》のシロを散歩《さんぽ》に連《つ》れて行《い》った。ぼくが生《う》まれる前《まえ》からわが家《や》にいるシロは、もうすっかりおじいちゃんで、歩《ある》き方《かた》も弱弱《よわよわ》しくなった。お父《とう》さんが車《くるま》で高原《こうげん》のドッグランに連《つ》れて行《い》っても、もう走《はし》りまわったりはしない。リードをはずしてもらっても、ぼくたちから離《はな》れようとせず、ただシッポをゆっくり振《ふ》るだけだ。

いつもの散歩《さんぽ》コース——団地《だんち》の中《なか》を通《とお》った。昔《むかし》のシロはリードをぐいぐいひっぱっていたのに、いまはリードはずっとたるんだままで、すぐに立《た》ち止《ど》まってしまう。

あと何年《なんねん》かすれば、シロとお別《わか》れをするときが来《く》るだろう。ご先祖《せんぞ》さまはシベリアでソリをひいていたというシロは、こんな蒸《む》し暑《あつ》いニッポンで一生《いっしょう》を終《お》えることを悲《かな》しみながら死《し》んでいくのだろうか。それとも「長《なが》い間《あいだ》かわいがってもらって幸《しあわ》せでした」と思《おも》ってくれるのだろうか。お父《とう》さんとお母《かあ》さんは、ぼくがオトナになるまでに家族《かぞく》でシベリア旅行《りょこう》に行《い》く計画《けいかく》を立《た》てている。シロの写真《しゃしん》も持《も》って行《い》って、せめて写真《しゃしん》だけでもふるさとに帰《かえ》らせてあげるんだと言《い》ってるけど……シロは知《し》らないだろうな。

そろそろ帰《かえ》ろう。お母《かあ》さんにも「今夜《こんや》の散歩《さんぽ》は短《みじか》めでいいからね」と言《い》われている。

ターンして、団地《だんち》の建物《たてもの》を見上《みあ》げた。何十《なんじゅう》もの窓《まど》が同《おな》じ間隔《かんかく》で並《なら》んでいる。ほとんどの窓《まど》に明《あ》かりが灯《とも》って、どこの家《いえ》でも夕食《ゆうしょく》子《こ》だくさんの家族《かぞく》の生活《せいかつ》を紹介《しょうかい》する『ハッピー大家族物語《だいかぞくものがたり》』は、学校《がっこう》でもみんなが観《み》ている人気《にんき》シリーズだけど、「どこが面白《おもしろ》いのよ」とお母《かあ》さんはいつもぶつくさ言《い》うし、お父《とう》さんはいつも黙《だま》ってチャンネルを替《か》える。

わが家《や》は三人《さんにん》家族《かぞく》——子《こ》どもは、ぼく一人《ひとり》だ。ほんとうはもっとたくさん子《こ》どもが欲《ほ》しかったけど、お母《かあ》さんが体《からだ》をこわしたので、弟《おとうと》や妹《いもうと》を産《う》むことができなかったのだ。

だから、両親《りょうしん》は『ハッピー大家族物語《だいかぞくものがたり》』に出《で》てくる家族《かぞく》が、半《はん》分《ぶん》うらやましいのかもしれない。『ハッピー一人《ひとり》っ子物語《こものがたり》』という番組《ばんぐみ》がないことが悔《くや》しいのかもしれない。

子《こ》どもはたくさんいるほうがいい？　一人《ひとり》っ子《こ》は寂《さび》しくてかわいそう？　一人《ひとり》っ子《こ》はワガママ？　世《よ》の中《なか》には子《こ》どもが欲《ほ》しくても生《う》まれない夫婦《ふうふ》もたくさんいる。そういうひとたちは、もっと寂《さび》しくて、もっとかわいそう？　テレビ局《きょく》には『ハッピー子《こ》どものいない夫婦物語《ふうふものがたり》』をつくろうというひとは誰《だれ》もいないの？

「ねえ、ウチって、けっこう不幸《ふこう》？」

お父《とう》さんはきょとんとして「そんなわけないだろ」と言《い》った。お母《かあ》さんも「ウチが不幸《ふこう》だったら、世界中《せかいじゅう》、不幸《ふこう》な家《いえ》だらけになっちゃうじゃない」と笑《わら》った。

訊《き》き方《かた》を間違《まちが》えた。ぼくはこう訊《き》くべきだった。

子《こ》どもがもう一人《ひとり》いたら、もっと幸《しあわ》せだった——？

質問《しつもん》をやり直《なお》そうかと思《おも》ったけど、やめた。二人《ふたり》に「うん」と言《い》われても、「そんなことないよ」と言《い》われても、なんだか悲《かな》し子《こ》の国《くに》に生《う》まれていたら、笑《わら》えなくなってしまうんだろうか。

「ねえ」ぼくは輪切《わぎ》りのキュウリをフォークで刺《さ》しながら言《い》った。

「ニッポンに生《う》まれると幸《しあわ》せなの？」

お母《かあ》さんはすぐに「そりゃあそうよ」と答《こた》えたけど、お父《とう》さんは「うーん……」と少《すこ》し考《かんが》え込《こ》んで、「どうなんだろうなあ、よくわからないなあ、それは」と言《い》った。

「なんで？」

「幸《しあわ》せっていうのも、いろいろあるからなあ」

たったいま、ごはんをおなかいっぱい食《た》べられるのが一番《いちばん》の幸《しあわ》せなんだ、と言《い》ったばかりなのに。

ムジュンしている。でも、お父《とう》さんの「よくわからない」という答《こた》えは、不思議《ふしぎ》と、よくわかる。

ぼくはふだん、自分《じぶん》を幸《しあわ》せだと感《かん》じることはめったにない。「やっぱり幸《しあわ》せなんだろうな」と実感《じっかん》するのは、決《き》まって新聞《しんぶん》やテレビで悲《かな》しいニュースが伝《つた》えられたときだ。自分《じぶん》より不幸《ふこう》なひとがいないと、自分《じぶん》の幸《しあわ》せを実感《じっかん》できないなんて……ちょっとヘンだよな、と思《おも》う。

ニュースのあともチャンネルをそのままにしていたら、スペシャル番組《ばんぐみ》が始《はじ》まった。『ハッピー大家族物語《だいかぞくものがたり》』——番組《ばんぐみ》のタイトルが画面《がめん》に出《で》た瞬間《しゅんかん》、ひやっとして、お父《とう》さんを横目《よこめ》で見《み》た。

あんのじょう、お父《とう》さんはムスッとした様子《ようす》でリモコンを手《て》に取《と》って、チャンネルを替《か》えた。

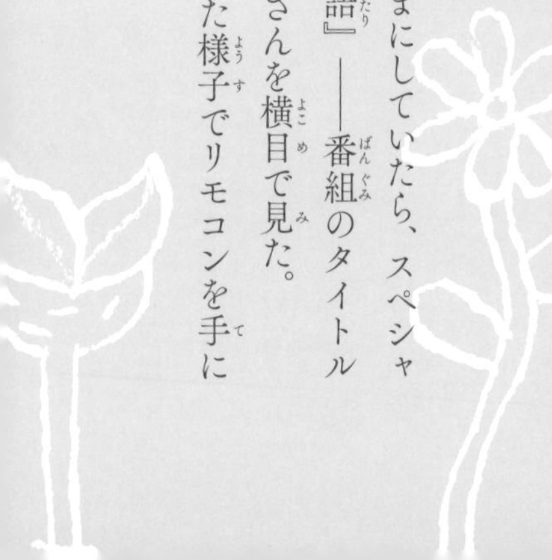

「あの子《こ》も、別《べつ》の国《くに》に生《う》まれてれば、全然《ぜんぜん》違《ちが》った人生《じんせい》だったんだろうね……」

お父《とう》さんも「だよなあ」とうなずいて、急《きゅう》に険《けわ》しい顔《かお》になった。まるで、にこにこ笑《わら》っていてはアフリカの女《おんな》の子《こ》に失礼《しつれい》だ、とでもいうように。

お母《かあ》さんは、ボウルに入《はい》ったサラダをぼくの皿《さら》に取《と》り分《わ》けた。レタスとキュウリが、どっさり。うげーっ、と顔《かお》をしかめると、「お肉《にく》ばかり食《た》べるんじゃなくて、野菜《やさい》も食《た》べなさい」と、少《すこ》しキツい口調《くちょう》で言《い》われた。

「そうだぞ、ヒロキ、好《す》き嫌《きら》いなんてぜいたくだぞ。おいしいごはんが毎日《まいにち》おなかいっぱい食《た》べられるなんて、ほんと、人間《にんげん》にとって一番《いちばん》幸《しあわ》せなことなんだから。残《のこ》したりしたらバチが当《あ》たっちゃうぞ」

お父《とう》さんは険《けわ》しい顔《かお》のまま言《い》って、自分《じぶん》のサラダを勢《いきお》いよく食《た》べた。お父《とう》さんだって、さっきまでは食《た》べ残《のこ》すつもりだったくせに。

テレビでは、現地《げんち》のお医者《いしゃ》さんが医療物資《いりょうぶっし》の援助《えんじょ》を求《もと》めていた。ぼくたちがフツーにお菓子《かし》を買《か》うお金《かね》があれば、何十人《なんじゅうにん》もの子《こ》どもたちの命《いのち》が救《すく》えるのだという。

リポーターは「子《こ》どもたちの笑顔《えがお》を取《と》り戻《もど》すために、いま、世《せ》界《かい》各国《かっこく》からの善意《ぜんい》が求《もと》められているのです」と言《い》って、インタビューをしめくくった。

もしもニッポンに生《う》まれていれば、あの子《こ》はおなかいっぱいごはんを食《た》べて、笑顔《えがお》になるんだろうか。逆《ぎゃく》に、もしもぼくがあのにタレをつけた肉《にく》を載《の》せ、グルッと巻《ま》いて一口《ひとくち》で頬張《ほおば》るのが、お気《き》に入《い》りの食《た》べ方《かた》だ。

でも、口《くち》をあーんと開《あ》けたとき、シュウタくんのことがふと思《おも》い浮《う》かんでしまった。

シュウタくんは事故《じこ》に遭《あ》う寸前《すんぜん》まで、まさか自分《じぶん》が死《し》ぬなんて思《おも》ってもいなかっただろう。友《とも》だちや家族《かぞく》とも、もう会《あ》えない。お別《わか》れもできない。将来《しょうらい》はなにをしたかったんだろう。ぼくと同《おな》じようにプロ野球《やきゅう》の選手《せんしゅ》になりたかったんだろうか。もしも事故《じこ》に遭《あ》わなければ、今夜《こんや》の夕食《ゆうしょく》はなんだっただろう。好《す》きな女《おんな》の子《こ》、いたんだろうか……。

肉《にく》とごはんを頬張《ほおば》って、噛《か》みしめた。タレのピリッとした辛《から》さが、さっきより増《ま》したような気《き》がする。

「まあ、でも……こうやって家族三人《かぞくさんにん》、元気《げんき》でそろってるのが一《いち》番《ばん》だよなあ」

お父《とう》さんが言《い》うと、お母《かあ》さんも「そうよ、ほんとに幸《しあわ》せなのよ」とうなずいた。

ニュースは海外《かいがい》コーナーに切《き》り替《か》わった。干《かん》ばつと飢餓《きが》と伝染《でんせん》病《びょう》に苦《くる》しむアフリカの国《くに》の話題《わだい》だった。

ガリガリに痩《や》せて、おなかだけポコンと突《つ》き出《で》た幼《おさな》い女《おんな》の子《こ》が、じっとカメラを見《み》つめていた。顔《かお》にはハエが何匹《なんびき》も止《と》まっていたけど、それを手《て》で払《はら》う力《ちから》も、もう残《のこ》っていないようだった。

お母《かあ》さんはため息交《いきま》じりに言《い》った。

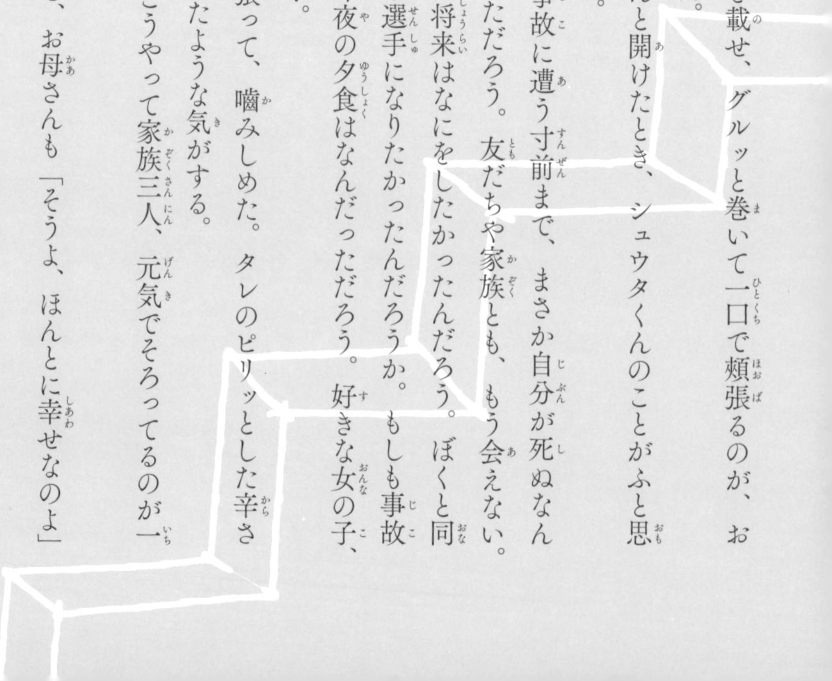

テレビのニュースが、悲《かな》しい事故《じこ》を伝《つた》えた。ぼくと同《おな》じ小学《しょうがく》六《ろく》年生《ねんせい》の男《おとこ》の子《こ》が、横断歩道《おうだんほどう》を渡《わた》っているときに左折《させつ》したトラックに巻《ま》き込《こ》まれて、亡《な》くなってしまったのだ。

「かわいそうねえ……」

ホットプレートで肉《にく》を焼《や》きながら、お母《かあ》さんは眉《まゆ》の間《あいだ》にシワを寄《よ》せた。

「六年生《ろくねんせい》か。両親《りょうしん》もつらいだろうなあ」

お父《とう》さんも同情《どうじょう》した顔《かお》で言《い》って、ビールをすすった。

テレビの画面《がめん》には、被害者《ひがいしゃ》の男《おとこ》の子《こ》の顔《かお》が映《うつ》っていた。名前《なまえ》はシュウタくんという。野球帽《やきゅうぼう》をかぶり、Ｖサインをつくって笑《わら》っていた。いいヤツっぽいな。もしも同《おな》じクラスにいたら、仲良《なかよ》しになっていたかもしれない。

「痛《いた》かったと思《おも》う？」

ぼくが訊《き》くと、お父《とう》さんは「即死《そくし》だから、そんなの感《かん》じる前《まえ》に死《し》んじゃったんだよ」と答《こた》えた。

「即死《そくし》ってどんなふうに死《し》んじゃうの？　パッと真《ま》っ暗《くら》になって終《お》わっちゃう感《かん》じ？」

「どうなんだろうな。死《し》んだことないからわかんないよ」

お父《とう》さんは自分《じぶん》の言葉《ことば》にハハッと笑《わら》ったけど、お母《かあ》さんは「ちょっと、ごはん食《た》べてるときにそんな話《はなし》しないで」とぼくたちを軽《かる》くにらんで、焼《や》けた肉《にく》を「はい、ヒロくん」とぼくの皿《さら》に入《い》れてくれた。今夜《こんや》の夕食《ゆうしょく》は、ぼくの大好物《だいこうぶつ》の焼肉《やきにく》——ごはん

人生って、なに？

おまけの話

重松 清

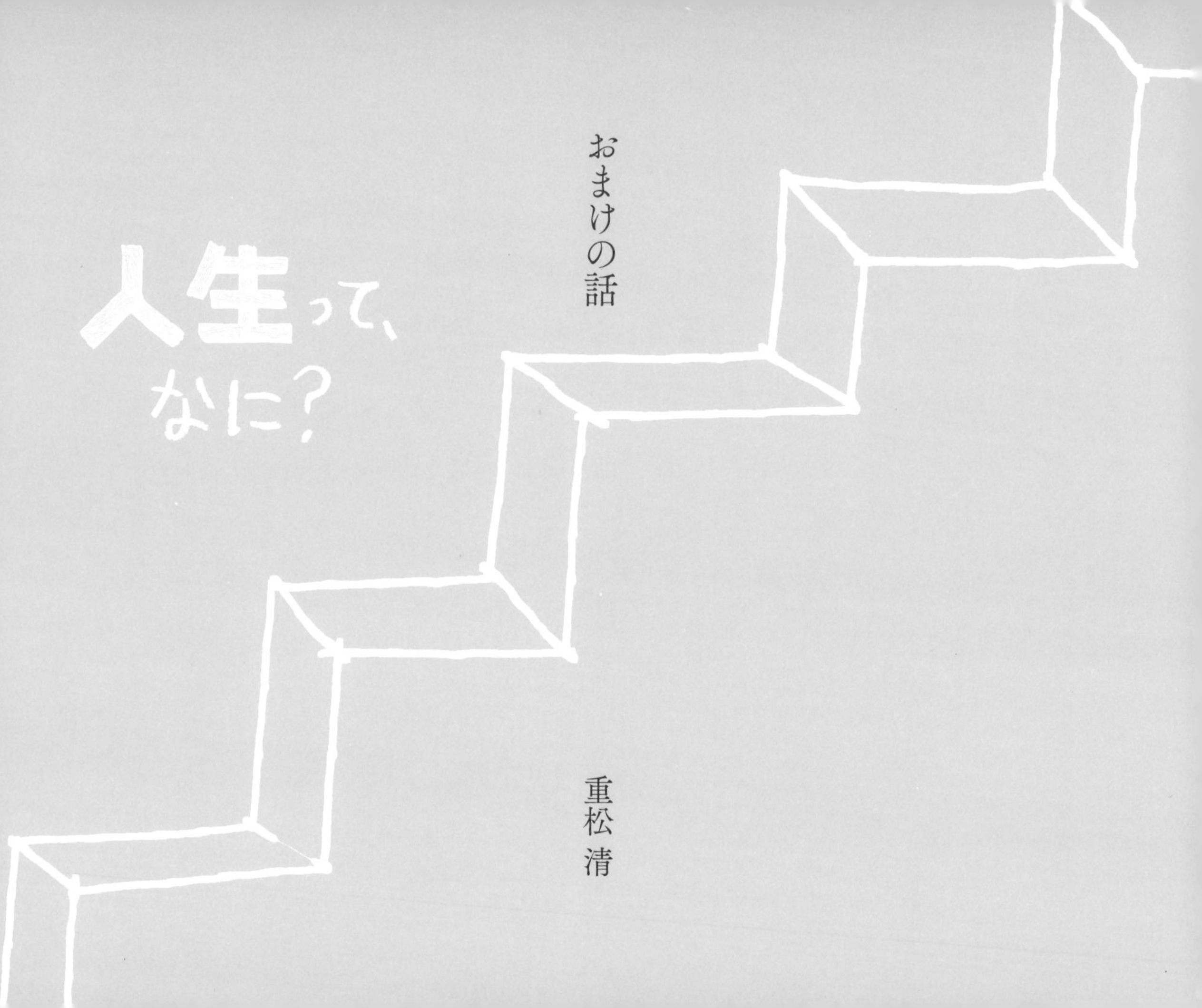

フランスでは、自分をとりまく社会についてよく知り、自分でものごとを判断できる人になる、つまり「良き市民」になるということを、教育のひとつの目標としています。

そのため、小学校から高校まで「市民・公民」という科目があります。

そして、高校三年では哲学の授業が必修となります。

高校の最終学年で、かならず哲学を勉強しなければならない、とさだめたのは、かの有名なナポレオンでした。およそ二百年も前のことです。

高校三年生の終わりには、大学の入学試験をかねた国家試験が行なわれるのですが、ここでも文系・理系を問わず、哲学は必修科目です。

出題される問いには、例えば次のようなものがあります。

「なぜ私たちは、何かを美しいと感じるのだろうか？」

「使っている言語が異なるからといって、お互いの理解がさまたげられるということがあるだろうか？」

これらの問題について、過去の哲学者たちが考えてきたことをふまえつつ、自分の意見を文章にして提示することが求められるのです。

当たり前とされていることを疑ってみるまなざしと、ものごとを深く考えてゆくための力をやしなうために、哲学は重要であると考えられています。

編集部

こども哲学　人生って、なに？

2006年9月25日　初版第1刷発行
2015年3月30日　初版第4刷発行
2020年4月1日　第2版第1刷発行

文	オスカー・ブルニフィエ
訳	西宮かおり
絵	ジェローム・リュイエ
日本版監修	重松 清
日本版デザイン	吉野 愛
描き文字	阿部伸二（カレラ）
編集	鈴木久仁子　大槻美和（朝日出版社第2編集部）
発行者	原 雅久
発行所	株式会社朝日出版社 〒101-0065 東京都千代田区西神田3-3-5 TEL. 03-3263-3321 / FAX. 03-5226-9599 http://www.asahipress.com
印刷・製本	凸版印刷株式会社

ISBN978-4-255-01171-4 C0098